So that's how you say it in English!

Wow!原來這句英語這樣說!

Carolyn G. Choong / 著

MP3版

笛藤出版

序

《Wow！原來這句英語這樣說！（MP3版）》終於以全新的面貌和各位讀者見面囉！除了內容的修改外，我們也將CD換成MP3，方便讀者的使用。

本書之所以能夠誕生，是由本社的同仁們，花了數月的時間，用各種方式蒐集日常生活常用的句子，精挑細選出最適切的素材，並與我們具有豐富英語教學經驗的顧問，反覆推敲每個句子的翻譯，務使每句話不僅符合英美人士的使用習慣，更能精準抓到中文的韻味。

本書的編排，採取中英對照的模式，方便讀者訓練本身的翻譯及閱讀能力，也可以在閱讀本書之後，作爲自我測驗之用，另外，由於語言是一種生活的工具，除了知道它的意義，更要了解它使用的時機和語氣爲何，因此本書附上內容MP3，按照各個句子的情境，錄製生動的語句，幫助您輕鬆自然地了解各個句子最適當的表達方式，並學習美式的發音、音調，也可做爲自我聽力的練習。

本書的分類方式，是按照各個句子的中文字數，2字篇、3字篇……一直到12字篇，您一旦想到任何句子，只要算一下字數，便能很快地找到對應的英文翻譯。

我們所有的努力，都是希望能爲您製作出一本實用的參考書，相信這本書能加強您英語的廣度，讓您的朋友因爲您而驚呼"Wow！原來這句英語這樣說！"。

笛藤編輯部

目 次

MP3目錄

曲目 (Track)	內容 (Content)	曲目 (Track)	內容 (Content)	曲目 (Track)	內容 (Content)
1.	1~10	21.	199~208	42.	406~415
2.	11~20	22.	209~218	43.	416~425
3.	21~30	23.	219~228	44.	426~435
4.	31~37	24.	229~238	45.	436~445
5.	38~47	25.	239~248	46.	446~453
6.	48~57	26.	249~258	47.	454~463
7.	58~67	27.	259~267	48.	464~473
8.	68~77	28.	268~277	49.	474~483
9.	78~87	29.	278~287	50.	484~493
10.	88~97	30.	288~297	51.	494~503
11.	98~107	31.	298~307	52.	504~509
12.	108~117	32.	308~317	53.	510~519
13.	118~127	33.	318~327	54.	520~529
14.	128~138	34.	328~337	55.	530~539
15.	139~148	35.	338~347	56.	540~551
16.	149~158	36.	348~355	57.	552~561
17.	159~168	37.	356~365	58.	562~575
18.	169~178	38.	366~375	59.	576~586
19.	179~188	39.	376~385	60.	587~588
20.	189~198	40.	386~395	61.	589~592
		41.	396~405		

2 字篇

1 活該！① Serves you right !

A：你考不及格？ A: You failed the test ?

活該，誰叫你沒讀書！ **Serves you right** for not studying !

注：雖然serve也有服侍的意思，但在這裡可看作deserve，"應得"的意思，所以本句等同"You deserve it."。

活該！② You had it coming !

A：我體重增加了。 A: I gained weight !

B：**活該**，你最近吃太多又沒有運動。 B: Well, **you had it coming** because you've been eating so much without exercising.

2 胡鬧！ That's monkey business !

A：別再混日子了！ A: Stop fooling around !

你根本在**胡鬧**嘛！ **That's monkey business !**

注：本句把monkey當動詞說成"Stop monkeying around!"，意思也一樣。

3 請便！① Help yourself.

A：**請便**。 A: Please **help yourself**.

請便！② Do as you please.

A：放輕鬆，你**請自便**。你是我們的客人。 A: Feel free to **do as you please**. You're our guest.

注：表示客人可自行取用東西，不必太拘束。

4 哪有？ What do you mean ? Not at all !

A：我想那傢伙喜歡你。 A: I think that guy likes you.

B：**哪有**？ B: **What do you mean** ? **Not at all** !

注：如果只說 "What do you mean ?" 語氣並不會很強烈，只是想問清楚對方的意思；但是若用於挑釁及威脅，則代表不滿對方表達的意見。若加上 "not at all"，表示你在否認對方所表達的意思。

5 才怪！① Yeah, right !

老師：今天的考試很簡單。 Teacher: Today's test was very easy.

學生：**才怪**！ Students: **Yeah, right** !

才怪！② As if!

A：他自認他可以跟我們交往（打交道）！ A: He thinks he can socialize with us !

才怪！　　As if !

注：“Yeah, right.” 常用於諷刺性的回答。“As if.” 大多是10到17歲女孩的用語。

6　加油！　Go for it !

A：加油！　　A: **Go for it** !
　　你做得到！　　You can do it !

注：鼓勵別人也可以說：“Give it a good try.”、“Try your best.”。

7　夠了！①　Enough !

A：我再也受不了！　　A: I can’t take it anymore !
　　夠了！　　**Enough** !

夠了！②　Stop it !

A：好，**夠了**！　　A: Okay, **stop it** !

注：也可加強語氣說 “Enough is enough!”，要是對方正fooling around（無所事事）你會罵他 “Enough of this foolishness!”（混夠了吧！)。

8　安啦！　I got your back.

A：夥伴別擔心，　　A: Don’t worry, man.
　　安啦！　　**I got your back**.

注：這句原本來自 “I’m covering you from behind.”（我在後面掩護你），是打仗時軍人常說的一句話。但在現代的意思是我會安排一切，要對方不必擔心，所以這句男人常用，女人較少用。

9 愛現！ Showoff！

A：他整天都是這個樣子。
愛現！

A: He's been doing that all day.
What a **showoff**！

注：showoff是名詞，也可作動詞，如：She likes to show off her toys.（她愛炫耀她的玩具）或He's always showing off.（他總是在炫耀自己）。

10 討厭！ So annoying！

A：夠了！
你真**討厭**！

A: Stop that！
You're **so annoying**！

注：annoying作形容詞用，可指某人或某件事令人討厭。

11 免談！ No need to discuss！

A：全都已經確定了。
所以就**免談**了！

A: It's all settled.
There's **no need to discuss** it anymore.

注："no need to" 是 "there is no need to" 的省略，與 "doesn't have to"、"It's not necessary." 同義。本句也可講 "No need for discussion."

12 真棒！ That's great！

A：哇！真不敢相信！
真棒！

A: Wow！I can't believe this！
That's great！

注：在現代的俗語，有些年輕人用rocks代替great。

13 好險！ That was close！

A：我好高興你做到了。
那真是好險！

A: I'm so glad you made it.
That was close！

注：這裡的close是很接近、幸好的意思，和開門關門 (open and close) 的close不同。

14 閉嘴！ Shut up！

A：你整天說個沒完。
閉嘴！

A: You've been blabbing all day.
Shut up！

注：朋友間叫對方閉嘴常用 "Shut up!"。但最好別對不熟的人說 "Shut up!"（除非你想找碴）。

15 好爛！ It sucks!

A：**好爛！**
不要買。

A: That **sucks**.
Don't buy it.

注：這句話可用來形容人事物的狀況令人失望或十分不理想。

16 好巧！ What a coincidence！

A：我們上同一所學校。
好巧！

A: You went to the same school as I did.
What a coincidence！

注：小孩有時會把這句話說成 "What a co-ink-i-dink"。

17 幼稚！ ① Immature！

A：她還抱著她心愛的動物娃娃睡覺呢。她實在很**幼稚**！

A: She's still sleeping with her favorite stuffed animal. She's so **immature**.

幼稚！② What a baby！

A：看她！30歲了還在買Hello Kitty的東西。**真是幼稚**！

A: Look at her, still buying "Hello Kitty" stuff at age 30. **What a baby**！

注：這句話在英文上侮辱的程度遠比中文強烈。

18 花痴！ Flirt！

A：你是**花痴**喔？別再討好他了。他根本不喜歡你。

A: You are such a **flirt**！ Stop kissing up to him! He doesn't like you at all.

注：不論男女，凡有如此行爲的皆可用flirt表示。player（調情高手）專指男性，tease（賣弄風情的女人）專指女性。

19 痞子！ Riff raff！

A：這些人使我起雞皮疙瘩。真是一群**痞子**！

A: These people give me the creeps. **Riff raff**！

注：在美國riff raff特別指人骯髒、下流。

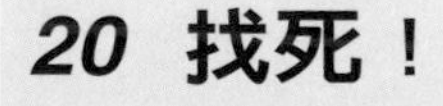

20 找死！ Playing with fire！

A：你瘋了？

A: Are you crazy ?

你這是在**找死**！　　You're **playing with fire**!

注：這是表示某人做的事很危險或很有挑戰性。

21 色狼！　Pervert！

A：他真是個**色狼**！　　A: He is such a **pervert**!
他在廁所直盯著我看！　　I saw him looking at me in the toilet!

注：這句話除了指性變態，也指精神變態，可簡單的說"perv"，也可作動詞，例如"You are really perverted."。

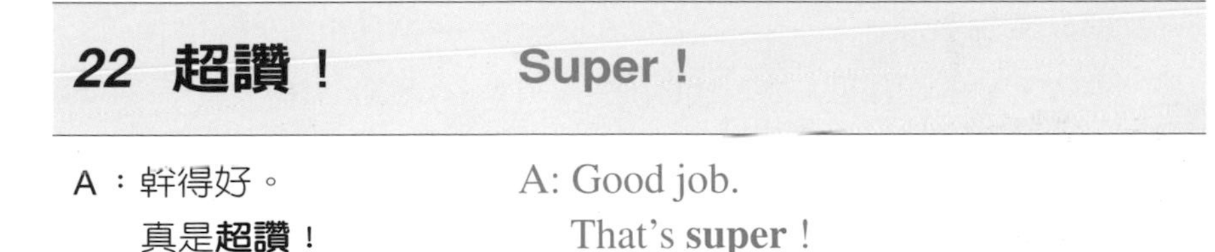

22 超讚！　Super！

A：幹得好。　　A: Good job.
真是**超讚**！　　That's **super**!

注：年輕人喜歡在形容詞前面加super以強調它的意思，如"super-cool"（超酷）。

23 算了！　Forget it！

A：這件事太難了。　　A: It's too difficult.
算了吧！　　**Forget it**!

注：這句有"不談這件事了"，或"這沒什麼"的意思。

24 糟了！　Shit！/ Fuck！/ Damn！

A：**糟了**！　　A: **Shit**!
這好臭！　　This stinks!

注：這些都是低俗的用語，如同他媽的、幹…等等咒罵的字，Damn是其中較溫和的一個。

25 廢話！ Bullshit !

A：我不信。
那全是一堆**廢話**！

A: I don't believe it.
That's **bullshit** !

注：這句也可用crap來表達，它的語氣較溫和，但還是一樣無禮。

26 變態！ Pervert !

A：走吧！
這裡**變態**好多。

A: Let's get out of here.
There are so many **perverts** here.

注：中文的變態從意思來看，其實比英文的pervert語意強烈許多。

27 吹牛！ Brag.

A：他**吹牛**，
他不可能辦得到的！

A: He's **bragging**.
There's no way he could do that !

注：brag常作動詞使用。

28 裝死！ Play dumb.

A：別**裝死**了。
你知道那件事的。

A: Don't play **dumb.**
You know about that.

29 偏心！ Biased (prejudiced).

A：別再說了，
你就是**偏心**。

A: Stop saying those things about it.
You're just **biased**.

A：他很**偏心**，　　A: He's so **prejudiced**.
他幫她只因為喜歡她。　　He helps her just because he likes her.

注：prejudice本意就是負面的，常用來指責對方不公正，而bias則是中性的字，如"The author has a bias for apple pies."（這個作家對蘋果派有所偏好）。

30 無恥！　Shameless.

A：這種事你也做得出來！　A: How could you do such a thing！
你**無恥**！　　You're **shameless**！

注：除了"You're shameless!"之外，你也可以說"Shame on you!"或"You have no shame!"來罵別人無恥。

31 你敢？　You dare？

A：我要挑戰你！　　A: I want to challenge you！
B：**你敢**？　　B: **You dare**？

32 贊成！①　I approve.

A：走吧！喝一杯！　　A: Let's go for a drink.
B：當然啦！　　B: Sure.
我贊成！　　**I approve**.

贊成！②　That's a good idea.

A：我好累。　　A: I'm so tired.
我們回家吧。　　Let's go home.
B：**贊成**！　　B: **That's a good idea**.

33 借過！ Excuse me.

A：**借過！**
請讓我過去。

A: **Excuse me！**
Please let me through.

注：本句也可用“Pardon me.”。

34 好飽！ I’m stuffed.

A：喔，我吃太多，
好飽！

A: Oh, I ate too much.
I’m stuffed！

注：stuff 原意是塡塞東西，引申意義就是吃得太多太飽。。

35 休想！ Over my dead body！

A：想拿我的錢？
休想！

A: You want to take my money？
Over my dead body！

注：這句也可開玩笑的說“No way！”。

36 成交！ It’s a deal.

A：**成交了！**
那咱們快開始準備吧。

A: **It’s a deal！**
Let’s start the preparations as soon as possible.

注：本句多用在交易行爲或在一般事情上達成共識。此外也會用來形容某物“便宜又好”。

37 幹嘛？

What ?
What do you want ?
What's wrong ?
What do you think you're doing?
What happened ?
What for ?

A：親愛的…	A: Darling...
B：**幹嘛**？ 我現在很忙啦！	B: **What ?** I'm busy now !
A：哎喲…人家只是想跟你說話嘛！	A: Oh...I just want to talk...

A：你為什麼在這個時候打電話來， **要幹嘛**？	A: Why are you calling me at this hour ? **What do you want ?**

A：天啊！	A: My God !
B：**幹嘛啊**？	B: **What's wrong ?**
A：我的錢包被偷了！	A: Someone stole my purse !
B：趕快報警啊！	B: Call the police !

A：這件案子就交給我好了， 我一定會幫你搞定的。	A: Why don't you let me take over this case ? I can take care of it.
B：**你幹嘛**？ 這可是我的案子， 我又沒有說要放棄。	B: **What do you think you're doing ?** I'm not giving up my case.
A：不好意思， 我只是想幫忙而已。	A: Sorry. Just thought I could help.

A：**幹嘛啦？** 你的眼睛怎麼這麼腫， 誰欺負你啦？	A: **What happened ?** Your eyes are black and blue ! Who did this to you ?
B：沒有啦。 昨天我半夜起床尿尿 沒開燈， 不小心撞到廁所門 而已。	B: No one did. Last night I got up to go to the bathroom without turning on the lights, so I bumped my head on the bathroom door.

A：給我過來！	A: Get over here !
B：**幹嘛？**	B: **What for ?**

注：這些句子都很常見，依說話的音調和語氣，可以表達刻薄、冷淡或關心的意思。

3 字篇

38 不會吧！ ① That won't happen, will it ?

A：中國會入侵台灣。
　不會吧？

A: China invades Taiwan.
That won't happen, will it ?

不會吧！ ② No, she's not like that, is she ?

A：你認為（確定）她偷了珠寶？不會吧？

A: Are you sure she stole the jewels ?
No, she's not like that, is she ?

不會吧！ ③ No it won't, will it ?

A：他沒多久好活了。
B：不會吧？

A: He may not have much longer to live.
B: **No he won't die, will he** ?

不會吧！ ④ No way !

A：他今天要辭職。

A: He's going to quit today.

B：**不會吧**！　　B: **No way**！

注：斷然拒絕對方的時候也可以用 "No way!" 意思是「不行！」。

39 起內鬨。 ① Fighting one's own.

A：那間公司浪費太多時間在**起內鬨**。　　A: That company wasted too much time **fighting its own**.

起內鬨。 ② In-fighting.

A：我不能忍受**起內鬨**。　　A: I won't tolerate this **in-fighting**！

注：fighting 可以是肢體上的，或是在意見上的衝突。

40 狗屎運！ Lucky bastard！

A：他中了樂透！真是**狗屎運**！　　A: He won the lottery！**Lucky bastard**！

注：bastard（混蛋）是罵人的話。

41 沒風度。 Crass.

A：他很**沒風度**，我不可能跟他約會的。　　A: He's so **crass**; there's no way I would date him.

注：另外，vulgar、boorish 也可以用來形容別人沒風度。

42 你說呢？ ① So what？

A：你那麼壞，誰會喜歡你？
B：**你說呢？**

A: You are such a bad person. Who's gonna like you ?
B: **So what** ?

你說呢？ ② You tell me !

A：我們該怎麼辦？
B：**你說呢？**

A: What are we going to do ?
B: **You tell me** !

注：說 "so what" 時，若語氣冷淡，則表示不在乎；若語氣帶挑釁，則表示不要人干涉，有「你管我」、「那又怎樣」的意思。

43 別傻了！ ① Wise up !

A：天啊，你竟然相信那種事？**別傻了！**

A: Please, you believe that ? **Wise up** !

別傻了！ ② Don't be silly !

A：我想我們能說服每個人都給我們錢。
B：**別傻了。**

A: I think we can get everyone to give us money.
B: **Don't be silly**.

注：當女孩子說 "Don't be silly." 時，大多是在打情罵俏。

44 別鬧了！ Keep it down !

A：你們這些小孩子太吵啦！

A: You kids are too loud !

別鬧了！ **Keep it down！**

注：Keep it down是不要鬧了，但keep it up意思完全不同，是用來勉勵對方繼續努力下去。如果“Keep it up!”用威嚇的語氣說就變成：若繼續下去後果就不堪設想（你再給我試試看！）。

45 不許碰！ Don't touch it！

A：小心，這是我最棒的作品。 A: Watch it, this is my best piece of work.

不許碰！ **Don't touch it！**

注：也可用Hands off! 代替這一句。

46 膽小鬼！ Coward！

A：他不敢做這件事。 A: He dare not do it！

真是個**膽小鬼**！ What a **coward**！

注：chicken也常用在說別人是膽小鬼，說的時候把雙手放進兩側腋窩夾住，上下擺動手肘，扮雞叫狀來取笑人家。

47 考慮中。 Sitting on the fence.

A：我還沒決定做什麼， A: I haven't decided what to do.

我還在**考慮中**。 I'm **sitting on the fence**.

注：表示此人的決定仍搖擺不定，隨時會受人影響。

48 認輸吧！ Give in！

A：**認輸吧**！ A: **Give in！**

你沒有機會了。 You won't have a chance.

注：也可用 "Give it up"，意即 "不要再試了，你只是在浪費時間"。

49 搶劫啊！ Rip off.

A：那件襯衫花了我3000元！
搶劫啊！

A: That shirt cost me $3000！
What a **rip-off**！

注：rip當名詞也可當動詞，所以可說："He really ripped me off."。

50 別催我！ Don't rush me.

A：我正在做。
別催我！

A: I'm on it！
Don't rush me！

注：rush有急促、忙碌的意思，當你rush某人，就是催他快一點。

51 再聯絡！ Keep in touch.

A：別忘了我！
再聯絡！

A: Don't forget about me！
Let's **keep in touch**！

注：這是天天用到的話，在信件、E-mail中、和人道別時，都會用到。

52 幹得好！ Good job.

A：你表現得不錯。
幹得好！

A: You did well.
Good job！

注：Good job不是指好職業，而是指一件事做得漂亮。也可以說 "Well done !"。

53 真划算。 What a great deal !

A：我以一輛的價錢買到兩輛腳踏車。 A: I got two bikes for the price of one.

真划算！ **What a great deal** !

注：這裡的deal是指買賣交易。在其它情況中"What's the deal ?"、"What's going on ?"、"Why are you doing this ?"都是在詢問"怎麼了？"。

54 看好喔！ Watch me !

A：**看好喔**！ A: **Watch me** !

我能跳10公尺高！ I can jump 10 meters high !

注：這句是要別人注意自己在表演的特殊動作或技巧。

55 死定了！ ① I'm dead !

A：我弄丟了我的電腦。 A: I lost my computer.

死定了。 **I'm dead**.

我該怎麼辦？ What am I going to do ?

死定了！ ② I'm dead meat.

A：我考試不及格！ A: I failed the exam!

死定了！ **I'm dead meat**!

注：以上兩句都是十分誇張的句子，表示眞的不知如何是好，另外，常見的句子有"You'll be the death of me."意思是「我會被你害死」。

56 羨慕吧！ Eat your heart out !

A：看看我身邊這群（被我迷倒的）女生！**羨慕吧**！你找不到會喜歡你的女生的。

A: Look at all these girls all over me ! **Eat your heart out** ! You're never gonna find a girl who will like you.

注：說 "Eat your heart out!" 的人有著炫耀的心態。

57 無所謂。 Whatever.

A：做你想做的吧！**無所謂**。

A: You can do what you want. **Whatever**.

注：這是年輕人很常用的俚語，除了無所謂外，還有以下的意思。1. I don't care !（我才不在乎！）2. etc., etc.,（等等，諸如此類的）3. No ! 4. That's not the way it is, but I don't give a damn.（才不是那樣的，不過我才不甩它。）在不同上下文中而作不同解釋。

58 別裝蒜！ Don't play innocent.

A：你知道我的意思，**別裝蒜**！

A: You know what I mean. **Don't play innocent**.

注：本句也可說 "Don't play dumb !" 這裡的play是pretend（假裝）的意思。

59 去你的！ Fuck you !

A：你真該下地獄！**去你的**！

A: You can go to hell ! **Fuck you** !

注：這是粗話，用生氣或厭惡的語氣說。

60 分攤吧！ Let's go Dutch.

A：不用付了，
我們**分攤吧**！

A: No, please don't pay.
Let's go Dutch.

注：美國人在外頭一起吃飯大部分會go Dutch。（各付各的）

61 你作夢！ You're dreaming.

A：這種事不可能發生的。
你作夢！

A: That will never happen.
You're dreaming.

注："Dream on !" 意思一樣，多了點玩笑的態度。意即「作你的春秋大夢吧！」。

62 你好遜！ You're so lame !

A：**你好遜喔**！
這三歲小孩都辦得到。
再試一次啦！

A: **You're so lame !**
Even a kid can make it.
Try again !

注：lame原來的意思是跛腳、不適當，在這裡指人不夠酷、無能。

63 並不想。 Don't feel like it.

A：晚上跟我們一起出來玩吧！
你會快樂起來的。

A: Come out with us tonight.
It'll cheer you up.

B：我**並不想**。

B: I **don't feel like it.**

注：feel除了指身體的感覺，也可用來表達心情的感受。

64 好可惜。 What a shame (pity)!

A：你離開你那漂亮的女朋友？
好可惜！

A: You left that beautiful girlfriend of yours ?
What a shame (pity).

注：在這裡語氣略帶惋惜；但也有情況是幸災樂禍，講反話來嘲諷。

65 隨便你。 ① Up to you.

A：**隨便你，**
我才不在乎。

A: It's **up to you.**
I don't care.

隨便你。 ② Whatever!

A：你要留下來還是要離開？
隨便你。

A: Do you want to stay or do you want to go ?
Whatever.

注：whatever是年輕人的口語用法，完整的句子是“Whatever you want.”。

66 安分點！ Behave!

A：不要那麼吵鬧！
安分點！

A: Stop making so much noise !
Behave !

注：成年人用這句的時候，多是在鬧著玩的情況下，要對方“安份”一點；男女朋友在打情罵俏時也會叫對方“安份”一點。

67　分手吧！　Let's break up.

A：他對妳不好，
　　妳該與他**分手**了吧！

A: He treats you badly.
　You should **break up** with him.

注："You should dump him!" 是更明確一點的說法，意思是「你該把他甩了。」（像倒垃圾一樣。）

68　再說啦！　We'll talk about it later.

A：我跟你意見不同，
　　再說啦！

A: I don't agree with you,
　but **let's talk about it later**.

注：說這話的人不打算馬上做決定。

69　你看吧！　① I told you so !

A：**你看吧**！
　　這行不通的。

A: **I told you so** !
　It won't work.

你看吧！　② See !

A：**你看吧**，就像我說的，
　　事情沒你想像的難。

A: Like I said, it's not as hard as you
　thought it'd be. **See** !

注：這兩句有"我早就跟你說了"的味道在，並認為對方一開始就該相信他的。

70　免驚啦！　① Don't be afraid.

A：他不會再騷擾妳。 A: He won't bother you again.
免驚啦！ **Don't be afraid.**

免驚啦！ ② Don't worry.

A：你不會有事的。 A: You'll do fine.
免驚啦！ **Don't worry.**

注：本句是安慰別人的話，也就是Everything will be alright.。

71 不要臉！ Shameless！

A：我沒想到她會穿那件衣服！ A: I can't believe she's wearing that！
不要臉！ **Shameless！**

注：本句除了用shameless外，也可用"She has no shame."。

72 管他的！ ① Don't worry about it!

A：我不要看起來很醜。 A: I don't want to look bad.
B：**管他的！** B: **Don't worry about it.**
沒有人會注意的。 No one will notice.

管他的！ ② Don't pay attention to it.

A：那傢伙在那裡一直盯著我看。 A: That guy over there is staring at me.
B：**管他的！** B: **Don't pay attention to it.**

注：常見情形是"即使有人生氣也沒關係"，如：A:"Don't do it！Mom will be mad！" B: "Don't pay attention to it."

管他的！ ③ What the heck !

A：我可以請丹過來玩嗎？ A: Is it alright if I ask Dane to come over?
B：**管他的**！ B: **What the heck**!

注："What the heck !" 與 "What the fuck !" 兩個意思一樣。

73 怎麼說？ ① How do I say this?

A：這很難解釋，該**怎麼說**呢？ A: It's so hard to explain. **How do I say this**?

怎麼說？ ② What do you mean?

A：我很同情他。 A: I'm feeling sorry for him.
B：**怎麼說**？ B: **What do you mean**?

74 黑白講。 That's rubbish.

A：完全不是那麼一回事。**黑白講**！ A: It's not like that at all. **That's rubbish**!

注：rubbish 就是 garbage（垃圾），以垃圾來比喻說的話全是"胡扯"。

75 蠻配的。 Suits you well.

A：你穿那種顏色很好看。**蠻配的**。 A: That color looks really good on you. It **suits you well**.

76 超噁的！ ① Blood and gore.

A：我討厭恐怖片和暴力片。
那些片**超噁的**！

A: I don't like scary and violent movies.
There's too much **blood and gore**.

超噁的！ ② That's so gross！

A：別作那些手勢啦！
超噁的！

A: Will you stop making those gestures？
That's so gross！

注："Blood and gore" 多半是指電影充滿血腥暴力，而 "gross" 在一般的情形下都可使用。

77 懂了嗎？ ① Get it？

A：我們兩個月前就分手了！
不要再打電話來，
懂了嗎？

A: We broke up two months ago！
Stop calling me.
Do you **get it**？

懂了嗎？ ② (Do you) know what I mean？/ know what I'm saying？

A：事情就是這麼一回事。
懂了嗎？

A: That's the way it is.
(Do you) know what I mean？
/ know what I'm saying?

懂了嗎？ ③ You know ?

A：我實在恨透這檔子事。**懂了嗎？** A: I really hate this. **You know** ?

注：“know what I mean ?”和“know what I'm saying ?”通常講的速度快語調又高。“you know ?”加在一段話後面，以強調剛說過的話。

78 麥假啦！ Stop pretending !

A：我知道你不喜歡。**麥假啦！** A: I know you hate it. **Stop pretending**.

注：pretending 可用 playing 代替。

79 神經病！ Crazy !

A：你不能那樣做！**神經病！** A: You can't do that ! **Crazy** !

注：這字暗示某人精神失常，行爲反常；年輕人的俚語常以“mentally challenged”代替“crazy”。

80 免了吧！ No need.

A：我想要把這件事弄清楚。 A: I want to make sure that I get it straight.

B：**免了吧，**不用了。 B: There's **no need**. Forget it.

注：“no need”可自成一句，也可在句中使用，如：There's no need to tell me that。

81 又來了！ ① Again ?

A：**又來了**！
我不想理它。

A: Here it comes **again**,
I don't want to deal with it.

又來了！ ② That's typical.

A：他沒有為他所犯的錯負責。
B：**又來了**！

A: He's not taking responsibility for his mistake.
B: **That's typical**.

82 不蓋你。 Not joking.

A：相信我。
不蓋你。

A: Believe me.
I'm **not joking**.

83 我請客。 My treat.

A：拜託，
這是你的生日吔，
那**我請客**！

A: Please,
it's your birthday.
My treat !

注：treat也作動詞用，如"I'll treat you tonight."（今晚我請客。）

84 不賴嘛！ Not bad.

A：你覺得怎樣？
B：**不賴嘛**！

A: What do you think ?
B: **Not bad** !

注：多加"at all"可以加強語氣，如：Not bad...not bad at all.

85 去死啦！ Go to hell !

A：你這流氓。 A: You're such a bully.
去死啦！ **Go to hell !**

注：生氣時在口語上詛咒別人去死，前面有時會加上"you can"。

86 冷靜點！ ① Calm down.

A：不要那麼激動， A: Don't get so excited.
冷靜點！ **Calm down.**

冷靜點！ ② Keep your pants on !

A：急什麼？ A: What's the hurry !?
冷靜點！ **Keep your pants on !**

注：這句是口語用法，可把pants改爲shirt，意思一樣。

87 我保證。 I guarantee.

A：你不會有事的。 A: You'll be fine.
我保證。 **I guarantee.**

注：這句話亦可說：You have my guarantee.

88 我發誓。 I swear.

A：不會再有下一次了。 A: It will never happen again.
我發誓！ **I swear !**

注：swear除了有發誓的意思外，也有咒罵的意思，如“You swear too much.”（你太愛罵髒話囉！）“Stop swearing.”（別再罵髒話了。）

89 來單挑！ Let's fight one-on-one !

A：走，就你和我，**來單挑**吧。 A: Let's go, you and me, **let's fight one-on-one**.

B：好！別人不要插手（別把別人扯進來），這是你我之間的事。 B: All right, leave the others alone. It's between you and me.

注：one on one，也可單獨成句。除了打架，只要是一對一的狀況都可用one on one來表示。

90 正經點！ ① Have some decency !

A：別再玩蛋糕了，**正經點**！ A: Stop playing with the cake. **Have some decency** !

正經點！ ② Seriously...

A：好啦，不要再鬧了。**正經點**… A: OK, stop joking around. **Seriously**...

注：說這兩句話的情況不同，“Have some decencey !”通常是在對方有了一些惡作劇的行為之後，用來提醒他舉止要莊重一點。“seriously...”則多用來轉變話題，跟中文的“講正經的…”類似，說完這句話，說者就把話題轉為嚴肅的內容。

91 阿莎力。 Make up your mind!

A：唉！我們談過這問題無數次了。**阿莎力**一點！

A: Geez, we've been over this a thousand times. **Make up your mind**!

注：本句在勸說他人早點下決定。

92 打擾了！ Excuse me for bothering you.

A：對不起，我待太久了，**打擾了**！

A: I'm sorry that I've stayed so long. **Excuse me for bothering you**.

注：因爲文化的差異，美國人通常不會說這麼謙虛的話。

93 清醒點！ ① Sober up !

A：你的父母來了。**清醒點**！

A: Your parents are coming. **Sober up**!

清醒點！ ② Wake up ! (Wake up and smell the coffee !)

A：**清醒點**！你看起來像是整夜沒睡。

A: **Wake up**! You look like you had a long night.

注：酒醉或嗑藥後多會用 "Sober up."。"Wake up !" 或 "Wake up and smell the coffee." 則是「腦袋裡在想什麼啊，醒醒吧你！」用來訓斥別人面對現實。

94 別理他！ ① Don't mind him.

A：**別理他！**
他只是在玩（裝傻）。

A: **Don't mind him**.
He's just playing.

別理他！ ② Forget him.

A：他看到我偷鑽石！
B：**別理他**。
我會處理他。

A: He saw me steal the diamond!
B: **Forget him**.
I'll take care of him.

注：forget him是「別理他！」而「別理（煩）我！」是leave me alone。

95 有眼光！ Good taste.

A：那東西看起來不錯。
你**有眼光**！

A: That looks really good.
You've got **good taste**.

注：taste這裡是名詞。

96 誰說的？ ① Who said that?

A：根本不是那回事。
誰說的？

A: It's not like that at all.
Who said that ?

誰說的？ ② Says who ?

A：他們取消了我們的演出。
B：**誰說的**？

A: They cancelled our show.
B: **Says who** ?

注：這兩句話除了可用來詢問是什麼人說的，它的意思多半是用來否認所聽到的消息。

97 很難說⋯ Hard to say.

A：我不確定。 A: I'm not exactly sure.
很難說。 It's **hard to say**.

注：這表示不清楚、不確定而難下定論。

98 老實說⋯ To tell you the truth...

A：**老實說**， A: **To tell you the truth**,
我真的不太瞭解。 I really don't know for sure.

注：這句話通常出現在句首或句尾，可以簡單的用honestly來代替本句。

99 你撒謊！ You lie！

A：昨天晚上我看到妳的男朋友和另一位女孩子在一起。 A: I saw your boyfriend with another girl last night.
B：**你撒謊**！ B: **You lie**！

注：若單用名詞 "liar"，意思也一樣。一首流行的童謠就是這樣唱的：Liar, Liar, pants on fire！。

100 真噁心！ So disgusting！

A：我看到他吻他的狗。 A: I saw him kissing his dog.
B：那**真噁心**！ B: That's **so disgusting**！

101 真礙眼！ Rubs me the wrong way.

A：我說不上來，
但他**真礙眼**！

A: I can't put my finger on it,
but he really **rubs me the wrong way**.

注：說這句話時通常是有人惹到你，但也可能只是因為某人的外貌、言行令人不舒服。

102 別落跑！ Don't run away.

A：我在跟你講話！
別落跑！

A: I'm talking to you!
Don't run away!

注：run away 也可指閃避問題，如：Don't run away from your problems.是要對方面對並解決問題。

103 不客氣。 You're welcome.

A：多謝。
B：**不客氣**。

A: Thanks a lot.
B: **You're welcome**.

注：下列的幾種回答，意思都和 "You're welcome." 一樣：1. no problem，2. no bother，3. don't worry about it，4. don't mention it 等等。

104 不上道。 Don't know how to play the game.

A：除了他，每一個人都收紅包（收受賄賂）。
他真**不上道**。

A: Everyone accepted the bribe except him.
He **doesn't know how to play the game**.

注：這是現代的俚語。有一句playing the field，它的意思就大不一樣了，是表示同時跟很多不同的人約會。

105 慢慢來。 Take it easy.

A：不要急。 A: Don't rush.
慢慢來。 **Take it easy.**

注：take it easy是表示慢慢來，小心的做，而take things easy通常是要受傷或生病的人避免繁重的工作而多休息。

106 你輸了。 You lost.

A：哈哈！ A: Ha-ha！
你輸了！ **You lost！**

107 吵死了！ So noisy.

A：這裡我再也住不下去了。 A: I can't stand living here anymore.
吵死了！ It's **so noisy**！

108 不見得。 Not necessarily.

A：每個人都會討厭我。 A: Everyone is gonna hate me.
B：**不見得。** B: **Not necessarily.**

注："Not necessarily." 意味情況有可能正好相反。

109 兜風去！① Let's go out for a drive!

A：我覺得有被困在這的感覺。 A: I feel so trapped in here.
咱們**兜風去**吧！ **Let's go out for a drive!**

兜風去！② Let's go out for some air !

A：我們已經讀了一整天書。 A: We've been studying all day.
兜風去吧！ **Let's go out for some air !**

注："Going out for a drive." 是開車或騎機車出去。"Going out for some air." 除了開車或騎車，也可表示用走的來散心。

110 怕了吧？ Now you're scared, aren't you ?

A：**怕了吧**？ A: **Now you're scared, aren't you** ?
B：槍不要對著我！ B: Get that gun away from me !

111 真低級。 How low-class !

A：你覺得瑪麗的新裙子怎麼樣？ A: What do you think about Mary's new skirt ?
B：實在是**很低級**！ B: **How low-class !**

注：通常不會當別人面講這句話。

112 就醬子。① The way it is

A：你無法改變任何事。
事情本來**就是醬子**。

A: You can't change anything.
That's **the way it is**.

就醬子。② Let it be.

A：我知道很難接受。
就醬子吧。

A: I know it's hard to accept.
Let it be.

注："Let it be"通常語氣和緩，以安慰人或使人平靜。

113 放棄吧！ Give up！

A：你贏不了的。
放棄吧！

A: You'll never win.
Give up!

114 太神了！ Cool！

A：你看過那部新片哈利波特嗎？
太神了！

A: Have you seen the new Harry Potter movie?
It's so **cool**!

注：若用來形容人，"Cool"是指他的性格或作風獨特，自信且令人激賞。

115 解脫了！ Free at last!

A：謝天謝地我畢業了，從此脫離學校。

A: Thank God I graduated and I'm done with school forever.

解脫了！ **Free at last!**

注：句子帶有"終於解放、終於擺脫"的興奮情緒。

116 要你管！ Not your business.

A：妳有男朋友嗎？ A: Do you have a boyfriend ?

B：**要你管！** B: It's **not your business.**

別惹我！ Leave me alone.

注："None of your business."、"It's none of your business."是一樣的用法，意思是「不關你的事，要你管！」。

117 好噁喔！ ① That's so disgusting!

A：瞧他們接吻的樣子，**好噁喔！** A: Look at the way they're kissing. **That's so disgusting!**

好噁喔！ ② Sick!

A：你看過"十三號星期五"那部片嗎？那部片**好噁喔！** A: Have you seen that movie "Friday the 13th" ? It's so **sick** !

118 小氣鬼。 ① Stingy bastard !

A：他甚至沒替我付晚餐！真是個**小氣鬼！** A: He didn't even pay for my dinner! What a **stingy bastard** !

小氣鬼。② What a miser!

A：他從高中就穿同一件衣服。
小氣鬼！
他不能買件新衣服嗎？

A: He's been wearing the same clothes since high school.
What a miser!
Can't he buy new clothes?

注："Stingy bastard" 語氣很刻薄，因爲 "bastard" 已經近乎粗話了。stingy是形容詞，小氣、吝嗇之意。miser是名詞。

119 我招了！ I admit....

A：沒錯！你是對的。
好，**我招了**。

A: Yeah, you're right.
Ok, **I admit it**!

注：本句可用來當做爭論失敗的聲明，或者用來表示歉意。

120 別惹我。① Don't bother me.

A：好啦，我隨便你。
別再惹我就好了。

A: OK, I'll do whatever you want.
But just **don't bother me** anymore.

別惹我。② Stop picking on me!

A：你能不能**別再惹我**了？

A: Can you **stop picking on me**?

注："Bother" 意思是阻撓、困擾，或對某人嘮叨。"To pick on someone" 是指作弄人，找人麻煩。

121 沒什麼。 Not much...

A：嘿！有什麼事？　A: Hey ! What's up !

B：**沒什麼**。　B: **Not much**...

注：Not用nothing代替，意思一樣。

122　答對了！① Bingo!

A：你的意思是說他喜歡我？　A: You mean to tell me that he likes me ?

B：**答對了**！　B: **Bingo** !

答對了！② You're right !

A：這是個玩笑嗎？　A: Is this just a joke ?

B：**答對了**！　B: **You're right** !

注："Bingo"是一種遊戲，當有人喊出"Bingo !"（賓果）就代表他贏了。

123　改天吧！① Another time...

A：明天晚上我們再一起出去吧。　A: Let's go out again tomorrow night.

B：**改天吧**！　B: Maybe **another time**...

改天吧！② I'll take a rain check.

A：我帶你出去吃飯。　A: I'll take you out to dinner.

B：今晚不行，**改天吧**！　B: I can't tonight, but **I'll take a rain check**.

注：“rain check”本意來自比賽因下雨而取消，所發給觀眾下次入場的延期證明；或是商店在減價時段特價品賣完時，發給客人在有貨時可以相同優惠購買該商品的證明。

124 我不管！ I don't care !

A：但每一個人都看好你的對手⋯ A: But your rival has everyone's favor...

B：**我不管**！ B: **I don't care !**

我會擊敗他， I'm going to beat him.

等著瞧吧！ Just watch.

注：“I don't care”是最常用的，另外較粗俗的說法是“I don't give a damn !”

125 別多嘴！ Enough ! Shut up !

A：我不要再聽了。 A: I don't want to hear it anymore.

別多嘴！ **Enough** ! **Shut up** !

注：這句話單用“enough”或“shut up”都同樣有力。

126 耍大牌。 Poser !

A：她以為她是誰呀？ A: Who does she think she is ?

電影明星？ A movie star ?

真是**耍大牌**！ What a **poser** !

127 何必呢？① What for ?

A：我要回學校唸書。 A: I want to go back to school.

B：**何必呢？**
你已經有博士學位了！

B: **What for** ?
You already have a P.H.D !

何必呢？② Why are you doing that ?

A：你有夠多的玩具。
為什麼還要再買？
何必呢？

A: You have all the toys you need.
Why are you buying more ?
Why are you doing that ?

注：依說話的語氣，意思可能是刻薄的反諷，好奇的詢問，或是冷漠不想搭理對方。

128 書呆子。① Nerd.

A：他只會唸書。
從不外出。
真是**書呆子**！

A: All he does is study.
He never goes out.
What a **nerd**.

書呆子。② Dork.

A：我不會跟像他這樣的**書呆子**約會。

A: I can't date a **dork** like him !

注：一般認為這兩者的社交關係不會有多好，其中，"nerd"特別指專注於學術研究的人。

129 不錯吧！ Look, not bad, huh ?

A：我已經整理好做簡報的全部資料。
嘿！**不錯吧？**

A: I've organized all this information for the presentation.
Look, not bad, huh ?

注：“huh”讀作“哈”[hʌ]，表示要別人注意。

130 很糟耶！ That's terrible !

A：你看到他怎麼吼她的嗎？ A: Did you see the way he yelled at her ?
很糟耶！ **That's terrible** !

注：horrible、terrible 可以互換。

131 別妄想！ You're dreaming !

A：我要跟布萊德彼特結婚。 A: I going to marry Brad Pitt.
B：**別妄想！** B: **You're dreaming** !

注：“In your dreams”也可表達“別妄想！”的意思。

132 你真行！ You're so great !

A：你贏了賽跑！ A: You won the race !
你真行！ **You're so great** !

注：言下之意就是：I'm so proud of you!（爲你感到驕傲）

133 不錯吃！ Tastes good.

A：嗯。 A: Mmm.
不錯吃。 This **tastes good**.
來一口吧？ Want some ?

注：本句跟“delicious”是一樣的意思。

134 真體貼！ So affectionate !

A：你看到她撫摸他的樣子嗎？	A: Did you see the way she touches him ?
真體貼！	**So affectionate** !

注：另外一種口語用法是“lovey-duvy”，但是比較負面，含有受不了別人如此親熱的意思。

135 得了吧！ Come on !

A：我是全心全意地愛著她的！	A: I love her with all my heart !
B：**得了吧**！	B: **Come on !**
你只是想要她的錢罷了。	You just want her money.

注：這句也可以說“Give me a break.”。

136 吊車尾。 Just made it .

A：我是第150名。	A: I was the 150th prize-winner !
剛好**吊車尾**擠進錦標賽。	**Just made it** for the championship !

注：本句的相反詞就是名落孫山，“Just missed it.”。

137 給你猜！ Guess !

A：你今天還好嗎？	A: How was your day ?
B：**給你猜**！	B: **Guess** !

注：“Guess”有戲謔的意味。

138 這簡單！ It’s easy for me！

A：仔細看我怎麼做的，首先做這個…然後做那個…

A: Watch me.
See first you do this...then you do that...

B：我懂啦，唉唷！**這簡單**。

B: I know.
C’mon！
This is easy for me！

注：“C’mon”是“come on”的簡寫。

4 字篇

139 長話短說！ Make a long story short !

A：然後我們去買東西，過後我們去吃飯⋯
B：**長話短說**！

A: And then we went shopping, and then we went to dinner...
B: **Make a long story short** !

140 少說廢話！ Cut the crap !

A：**少說廢話**！我知道你在打什麼主意。

A: **Cut the crap** ! I know what you're up to.

注：更粗俗的說法是"bullshit"。

141 你懂什麼？① What do you know ?

A：我也能去嗎？
B：**你懂什麼**？你幫不上忙。

A: Can I go too ?
B: **What do you know** ? You won't be any help.

你懂什麼？② You don't know the half of it !

A：我知道你們在講什麼。 A: I know what you're talking about.
B：你才不知道。 B: No you don't.
你懂什麼！ **You don't know the half of it.**

注：批評對方對情況或事情的不了解、不清楚。

142 我盡力了。 I did the best I could.

A：我知道我失敗， A: I know I failed,
但**我盡力了**。 but **I did the best I could**.

注：一般都是老師或父母對孩子說"Do the best you can !"（盡力做！），然後孩子無奈的說了這句話，"I did the best I could."。

143 你瘋了嗎？ Are you crazy ?

A：這應該很容易下手。 A: It will be easy to steal.
B：**你瘋了嗎？** B: **Are you crazy** ?

注：本句跟"Are you out of your mind."同樣意思。

144 半斤八兩。 Same difference !

A：以大小來說，這個比較好。 A: This one is better because of its size.
B：**半斤八兩**啦！ B: **Same difference** !

注："same"、"difference"意思相反，放在一起用意思就是一般我們講的"還不是一樣、沒什麼差別"，也就是半斤八兩、差不多。

145 這就怪啦！ It doesn't add up !

A：我昨天才買的牛奶…
今天就沒了。
這就怪啦！

A: I just bought milk yesterday...
but we're out of it today.
It doesn't add up !

注：可用"something"代替"it"，意思一樣。還有一句也很常見："It doesn't make any sense."。

146 知足常樂。 Easy to please.

A：那女孩總是面帶笑容。
她一定很**知足常樂**。

A: That girl is always smiling.
She's surely **easy to please.**

注：相反的就是"hard to please"（很難侍候）。

147 教壞小孩。 Bad influence (on the kids).

A：我再也不許你跟他出去，
他會**教壞小孩**。

A: I don't want you to hang out with him anymore.
He's such a **bad influence on the children** !

注：父母常會說"I don't want my kids to hang around with them. They're bad influence."（我不要我的小孩跟他們混在一起，他們會帶壞小孩。）。

148 小氣巴拉。 Scrooge !

A：真是**小氣巴拉**！
他甚至沒送他們聖誕

A: What a **scrooge** !
He didn't even buy presents for

禮物。 them on Christmas !

注："scrooge" 這個字是從狄更斯的小說"小氣財神"中的人物而來，也是聖誕頌歌中的一個主要角色。

149 不識抬舉。 You just don't appreciate it.

A：好康擺在你面前，你都不知道。**不識抬舉。**

A: You don't know when a good thing's right in front of you. **You just don't appreciate it.**

注："appreciate"（欣賞），相反詞是"scorn"（藐視）、"disparage"（貶抑）。

150 再說一次！ Say again ?

A：**再說一次**好嗎？我沒聽到。

A: **Say again** ? I didn't hear you.

注："Say again ?"是口頭上、私下聊天時的用法。正式一點的像是"Pardon me ?"、"Excuse me ?"，或是"Could you repeat that please ?"，會比較有禮貌。

151 你覺得呢？ What do you think ?

A：我要搬去美國，**你覺得呢？**

A: I'm going to move to America. **What do you think** ?

注：正式場合用"What's your opinion ?"比較適當。

152 豈有此理！ How did it come to this ?

A：事情不該是這樣子的， A: This is not the way it should be.

豈有此理。 **How did it come to this** ?

注：通常是事情出乎意料之外，而且多半是朝不好的方面發展。

153 臉皮真厚！ What nerve !

A：你怎敢跟你母親頂嘴！
臉皮真厚！

A: How dare you talk back to your mother !
What nerve !

注：本句在指人大膽，無禮的行為。

154 你急什麼？ What's the rush?

A：你時間多得是。
急什麼？

A: You have plenty of time.
What's the rush?

注："Rush hour" 是上下班時的交通尖峰時段。

155 沒完沒了。① Will it never end ?

A：我什麼事都要請求允許才能做。
真是**沒完沒了**。

A: I will always have to ask permission for everything I do.
Will it never end ?

沒完沒了。② Doesn't he know when to stop ?

A：他每天都打電話給我！
真是**沒完沒了**。

A: He's been calling me every day !
Doesn't he know when to stop ?

注：第一句 "Will it never end ?"，就文法上應該是 "Will it ever end ?" 這裡用 never，是在強調語氣的無奈。"Someone doesn't know when to stop." 意思是 "有人就是不知道適可而止。"

156 太過分了！ That's too much !

A：我再也受不了，
太過分了！

A: I can't take it anymore.
That's too much !

157 太誇張了！ That's an exaggeration !

A：他真酷，
居然抬得起一輛車子！
B：**太誇張了**！

A: He's so cool.
He can lift a whole car !
B: **That's an exaggeration**!

158 死都不要。 Over my dead body !

A：他要我去洗馬桶。
我**死都不要**！

A: He wants me to wash the toilet.
Over my dead body !

注：這句的意思是"等我死了再說"，用隱喻的方式來表達說話者強烈的反對。

159 真沒想到。 I had no idea.

A：他們很欣賞你的工作，
要給你獎金。
B：**真沒想到**。

A: They like your work so much.
They're going to give you a bonus.
B: **I had no idea**.

160 我的媽呀！ Oh my God !

A：麥可傑克森在那裡！

A: There's Michael Jackson !

我的媽呀！ Oh my God！

161 趕時間嗎？ Are you in a hurry？

A：有很多事要你做。 A: There's a lot of work for you to do.
你在**趕時間嗎**？ **Are you in a hurry**？

注："in a hurry"亦可用rushed for time或pressed for time代替。

162 常有的事。 Happens all the time.

A：晚餐的錢老板替你付了。 A: The boss paid for your dinner.

B：**常有的事**！ B: **Happens all the time**.

注：本句表示某事常常發生是很正常的現象，相反的說法是"That never happens."。

163 你真沒用。 You're useless！

A：**你真沒用**！ A: **You're useless**！
滾開！ Get out of here！

注：這句話不一定指對方眞的沒有用，有時只是表達對某人不耐煩而已。

164 真沒水準。 No class.

A：看他走路的樣子！ A: Look at the way he walks！
真沒水準！ He's got **no class**！

注：若以classy形容一個人，是指他對許多事物有高水準的品味，雖然"classy"多半是用在形容有錢人，但若你對一些事有獨到的品味，你也是classy囉！

165 不一定啦！ Not necessarily.

A：你會把你爸媽惹火了。 A: You're going to make your parents really angry.

B：**不一定啦**！ B: **Not necessarily**...

注："Not necessarily" 的反義句是 "definitely" 而不是 "necessarily"。

166 別想騙我！ Don't try to pull one over me !

A：我知道你的把戲！ A: I know your tricks !

別想騙我！ **Don't try to pull one over me** !

注：over me 是 over my eyes，意思是 "矇騙"。

167 想得美喔！ In your dreams !

A：你以為你能飛喔？ A: You think you can fly ?

想得美喔！ **In your dreams** !

注：本句是說某事極不可能發生。

168 想都別想！ Don't even think about it !

A：我想去月球。 A: I want to go to the moon.

B：**想都別想**！ B: **Don't even think about it** !

注：依上下文，這句話可表示威脅、澆冷水、或安慰的意思。

169 怎麼搞的？① What's eating you ?

A：你**怎麼搞的**？　A: **What's eating you** ?
你看起來好慘喔！　You look terrible !

怎麼搞的？② What happened?

A：**怎麼搞的**？　A: **What happened** ?
為什麼大家都跑了？　Why is everyone gone ?

注："What's eating you"形容對方看起來疲憊、沮喪、生氣、不快樂等等。"What happened ?"也是一般人常用的句子。

170 這也難怪！ No wonder !

A：大家都跑去那裡？　A: Where is everybody ?
B：現在是星期一晚上…有足球賽，記得嗎？　B: It's Monday night...football, remember ?
A：哦！**難怪**沒人在。　A: Oh...**no wonder** no one's here !

注：No wonder，不能單獨使用，一定要有原因敘述在句前或句後。

171 你很煩耶！ You're getting on my nerves !

A：走開好不好？　A: Will you go away ?
你很煩耶！　**You're getting on my nerves** !

注："get on my nerves"、"You're really annoying."都是"你很煩人"的意思。

172 原來如此。 So that's how it is !

A：不，你做錯了。　A: No, you're doing it wrong.
你應該這樣做。　This is how you do it.

B：**原來如此。** B: **So that's how it is!**

注：依上下文或語調，說這句話時可以一本正經的說，也可以是"原來是如此啊！"帶著諷刺的語氣說。

173 沒日沒夜。 Day and night.

A：她在準備大學入學考試，所以她讀得**沒日沒夜**。

A: She's been preparing for the college entrance exams, so she's been studying **day and night**.

注：意指全部所有的時間，也可說"Night and day"。

174 一視同仁。 Friend or foe...

A：不管是朋友或敵人，我都**一視同仁**。

A: Whether you're a **friend or foe**, I won't treat you any different.

注："foe"的意思是敵人，同"enemy"，雖然enemy較常見，但這裡是要強調兩個字一樣都是f開頭，所以用"foe"。

175 表裡不一。 Thinks one way, but acts another.

A：她很假，**表裡不一**。

A: She's so hypocritical. She **thinks one way but acts another**.

注：用這句形容一個人很虛僞，說的是一套，做的又是一套。

176 正是時候。 It's about time!

A：不好意思拖這麼晚，但這是最後一個方案了。

A: Sorry this is late, but here is the final project.

B：**正是時候**。 B: **It's about time**！

注：這句話表示說話的人已經等候一段時間了。

177 真是經典。 It's a classic！

A：你一定要看星際大戰，**真是經典**。 A: You've got to see the movie Star Wars. **It's a classic**！

注：古典音樂是"classical music"，不要弄錯。

178 多此一舉。 There's no need.

A：謝謝你們來幫忙，但這是**多此一舉**。我們已經完工了。 A: Thanks for coming to help us, but **there's no need**. We have finished the job.

注：本句最常用的同義詞是"Don't worry about it."。

179 真是夠了！ That's enough！

A：你停下來好嗎？**真是夠了**！ A: Will you stop it already？ **That's enough**！

注：說enough時要加重語氣，顯露出不耐煩的意思。

180 騙你的啦！① I'm joking.

A：別認真，**騙你的啦**！ A: Come on, **I'm just joking**.

騙你的啦！② I'm kidding.

A：請不要生氣，
騙你的啦！

A: Please don't be offended.
I'm kidding.

騙你的啦！③ I'm pulling your chain.

A：不要相信他，
他**騙你的啦**！

A: Don't believe him.
He's just **pulling your chain**.

注：可在pulling前加上just以增強語氣。

181 你有病啊！ You're sick !

A：好噁心！
你有病啊！

A: That's disgusting !
You're so sick !

注：本句不照字面解釋成生病，而是形容因為行為怪異，而令人感到驚訝、討厭。

182 別害羞嘛！ Don't be shy !

A：來呀，她不會害你，
別害羞嘛！

A: Come on, she won't bite you.
Don't be shy !

注：這句語氣可以是認眞的或玩笑的，一般都在Don't上加重語氣。

183 勿失良機。 Don't pass up a golden opportunity.

A：你必須接受這個任務。
勿失良機。

A: You have to take this assignment.
Don't pass up a golden opportunity.

注：簡短一點可說 “Don’t pass it up !” 或 “Don’t pass this up !”。

184 兩全其美。① Everyone wins.

A：你的點子太棒了！
這樣就**兩全其美**了！

A: Your idea is so great !
Everyone wins !

兩全其美。② Good for both sides.

A：我們就接受他的建議吧，這才**兩全其美**。

A: Let’s accept his suggestion.
This is **good for both sides.**

注：這兩句情況有些不同，“Everyone wins.” 原意是 “每個人都贏。” 因此，所指的對象可以不只是兩個而已；“Good for both sides.” 就特別針對於只有兩個對象的情況。

185 一舉兩得。 Shooting two birds with one stone.

A：如果回家我就可以見到家人和老朋友們。
一舉兩得。

A: If I go home I can see my family and my old friends.
I’ll be **shooting two birds with one stone**.

注：是成語也是俚語，這句可說成 “Get two birds with one stone.”。

186 心照不宣。 Mutual understanding.

A：我想我們是
心照不宣。

A: I think we have a
mutual understanding.

注：本句與 “tacit agreement”（默契）意思一樣。

187 自相殘殺。① At each other's throats.

A：他們整天在那
自相殘殺。
我再也受不了。

A: They've been
at each other's throats all day.
I can't stand it anymore.

自相殘殺。② Killing each other.

A：夠了！
你們會**自相殘殺**的！

A: Stop it !
You'll **kill each other** !

188 好事成雙。Good things come in pairs.

A：我在同一天中了樂透
又升官。
我猜這就是所謂的
"**好事成雙**"吧。

A: I won the lottery and got a
promotion on the same day.
I guess it's what we call
"Good things come in pairs."

189 別惹麻煩！ Don't make trouble !

A：安份點。
別惹麻煩！

A: Behave.
Don't make trouble!

注：另一個常見用的說法是"Stay out of trouble !"。

190 三姑六婆。 What a gossip.

A：她總是在講別人背
後話。

A: She's always talking behind other
people's backs.

三姑六婆！ **What a gossip！**

注：gossip 可用作動詞亦可爲名詞，例如“They were gossiping about their neighbors.”（他們在說鄰居的閒話）。

191 算你厲害！ You win.

A：好啦，我投降了，**算你厲害。**

A: Ok, I give up. **You win.**

注：本句通常帶有認輸的口氣。

192 不見不散。 I'm not leaving until I see you.

A：要多久我就等多久。**不見不散！**

A: I'll wait for as long as it takes. **I'm not leaving until I see you** again.

注：本句也可說：“I won't leave until you come.”

193 行行好嘛！ Have a heart！

A：得了！再給他一次機會吧！**行行好嘛！**

A: Come on！Give him another chance. **Have a heart！**

194 沒這回事。 No such thing.

A：誰跟你說我結婚了？才**沒這回事。**

A: Who told you that I'm married？There's **no such thing.**

195 安靜一點！ Be quiet！

A：你們這些傢伙太吵了。
安靜一點！

A: You guys are too noisy.
Be quiet！

196 那又怎樣？ So what？

A：**那又怎樣？**
你想打架嗎？

A: **So what？**
You wanna start a fight？

注：本句通常具有挑釁的語氣。

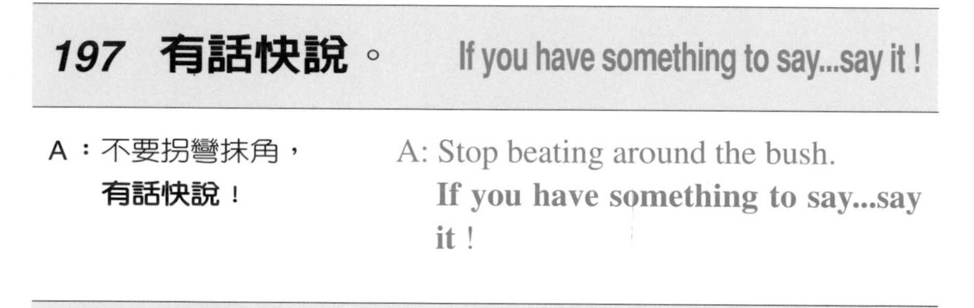

197 有話快說。 If you have something to say...say it！

A：不要拐彎抹角，
有話快說！

A: Stop beating around the bush.
If you have something to say...say it！

198 慢吞吞的！ Slow as molasses！

A：你能不能快一點嗎？
你實在**慢吞吞的！**

A: Can you speed it up a bit？
You're **slow as molasses！**

注：molasses，原指在提煉糖的過程中所得到的黑色糖液。本句有點過時，但仍可使用。

199 超好玩的。 Super fun.

A：我們非去那音樂會不可。

A: We've got to go to the concert.

一定**超好玩的**！　　It'll be **super fun**！

200　祝你好運！　Good luck！

A：祝你明天報告順利。　A: **Good luck** on your presentation tomorrow.

201　口是心非。　You say it, but you don't mean it.

A：我知道你是**口是心非**，好吧，我會自己做。　A: I know **you say it's all right, but you don't mean it.** Ok, I can do it myself.

注：可以只說：You don't mean it.

202　亂七八糟。　What a mess！

A：你的房間**亂七八糟**的，趕快掃一掃吧！　A: Your room is such a **mess**！Clean it up！

注：本句可在what和mess上加重語氣。俚語的講法是：What a pigsty！

203　替天行道。　Carry out God's will.

A：如果我贏得這次選舉，我會**替天行道**。　A: If I win the election, I will **carry out God's will**.

注：講的人大多有強烈宗教信仰。

204 下次再聊！ Talk about it next time.

A：我不想再討論了。
下次再聊！

A: I don't want to discuss it anymore.
We'll **talk about it next time**.

注：可用later代替next time，有的會在句首加上Let's。

205 我好怕喔！ I'm so scared !

A：你認為你能擊敗我？
哦，**我好怕喔！**

A: You think you can beat me ?
Oh, **I'm so scared** !

注：有的會刻意拉長每個字，以強調諷刺的語氣。

206 別搞砸了！ Don't blow it !

A：這是你最後的機會，
別搞砸了！

A: This is your last chance.
Don't blow it !

注：本句用來提醒別人別把事情弄糟了，語氣通常是輕鬆的，有時也因爲要警告對方而語氣嚴肅。

207 好久不見！ Long time no see !

A：**好久不見！**
我一直念著你呢！

A: **Long time no see** !
I've missed you !

注：看到很久不見的人、約會或不期而遇的情況下均可用。

208 這樣也好。 I guess so.

A：我要搬去台北。 A: I want to move to Taipei.
你要一起去嗎？ Do you want to come with me ?
B：**這樣也好…** B: **I guess so**...

注：這裡的guess的意思不是“猜”，而是“認爲”。

209 自找麻煩。 Looking for trouble.

A：你應該離那些人遠一點。 A: You should stay away from those guys.
他們只會**自找麻煩**。 They're **looking for trouble**.

210 你皮在癢。 You're asking for it.

A：你還在作弊嗎？ A: Are you still cheating on your papers?
你真的是**皮在癢**。 **You're really asking for it**.

注：本句是說某人會因自己不好的行爲而自食惡果。

211 不夠看啦！ So-so.

A：那件衣服沒什麼特別，A: That dress is nothing special.
不夠看啦！ It's just **so-so**.

注：本句用來形容人、事、物感覺“還好而已”。

212 別來無恙？ How have you been ?

A：很久不見了。 A: I haven't seen you in ages.
別來無恙？ **How have you been** ?

注：本句通常省略成How've you been ?

213 有什麼好？ What's good about it ?

A：每一個人都在談論這片新的DVD。
到底它**有什麼好**？

A: Everyone's talking about this new DVD.
What's good about it ?

注：句中的good改為so good，意思就變成了“一點都不好”。

214 別耍寶了！ Don't be silly !

A：**別耍寶了**！
這是個正式場合。

A: **Don't be silly**.
This is a formal place.

215 社會敗類。 Scum of society.

A：你看到那個向警察挑釁的傢伙嗎？
真是**社會敗類**才會做的事！

A: Did you see that guy picking a fight with the policeman ?
What **the scum of society** will do !

注：“社會敗類”是很強烈的譴責，通常指無賴、罪犯及下流人物。

216 我在忙啦！ I'm busy !

A：別吵我。
我在忙啦！

A: Stop bothering me.
I'm busy !

注：依講話的口氣，話中有耐煩或忽視對方的意味在。

217 放你一馬。① Off the hook.

A：你真好運，老師這次竟**放你一馬**。 A: You're so lucky the teacher let you **off the hook** this time.

放你一馬。② Lucky this time.

A：這次**放你一馬**。下次就沒那麼簡單了。 A: You're **lucky this time**. Next time it won't be easy.

放你一馬。③ Saved by the bell.

A：你為什麼沒做作業？ A: Why haven't you finished your work ?

B：唔，我正在做……（鈴響） B: Well, I've been working on... (bell rings)

A：這次就**放你一馬**吧。 A: **Saved by the bell**.

注：off the hook本意是魚脫勾，引申為逃過一劫。"Saved by the bell"常見於學生因下課鈴及時響起，而逃過答不出問題的窘境，或在拳擊比賽中，被打得快輸了，但因中場鈴聲及時響起而得以撐到下一場。

218 歪打正著。 Hit the jackpot.

A：我無意中打出決定勝負的一球耶！ A: I accidentally shot the winning shot.

B：哇！你真是**歪打正著**。 B: Wow, you really **hit the jackpot !**

注：俚語，表示非常幸運或成功。

219 別搞錯了。 Don't take it the wrong way.

A：**別搞錯了。**

我們並沒有打算讓這樣的事發生。

A: Please **don't take this the wrong way**.

We didn't mean for this to happen.

注：這句本身意思是“不要錯估形勢”或“不要因誤會我說的話而生氣”。

220 別雞婆了！ Stop bossing me around !

A：你以為你是誰？

我媽媽？

別雞婆了！

A: Who do you think you are ?

My mother ?

Stop bossing me around !

注：它的形容詞是bossy。在不須幫忙時，硬要幫忙出點子、下命令，就會被說是You're so bossy。

221 求之不得。① Want it badly.

A：對它，我是**求之不得**，我願付出所有來得到它。

A: I **want it so badly**.

I would give my right arm.

求之不得。② I wouldn't miss it for the world !

A：你會來參加派對嗎？

B：**求之不得！**

我一定會去！

A: Are you coming to the party ?

B: **I wouldn't miss it for the world** !

注：Want it so badly，是指想要某物而不惜任何代價，前後句接的通常是I would give anything, my arms, my legs...等。而I wouldn't miss it for the world.是指“我一定會去”或“我一定會參加”。

222 想開點吧！① Take it easy.

A：不要擔心。 A: Don't worry about it.
想開點吧！ **Take it easy.**

想開點吧！② Don't take it so hard.

A：事情沒那麼糟， A: It's not that bad.
想開點吧！ **Don't take it so hard.**

注："Don't take it so hard." 是安慰別人的話，要人家"不要把事情想得那麼糟"，或者是"不要讓它困擾你"。

223 不如這樣… What about...

A：我找不到工作。 A: I'm having trouble finding a job.
B：**不如這樣**…來替我做事如何？ B: **What about** coming to work for me ?

注：本句常用在要提出一個建議或點子的時候。

224 有口難言。 I can't say...

A：他跟你說了什麼？ A: What did he tell you ?
B：對不起，我實在**有口難言**。 B: Sorry, **I can't say...**

注："I can't say." 是知道答案，但為了某種原因而不能講出來。

225 自討苦吃。 Asking for it.

A：別找他的碴，
他塊頭比你大。
你只會**自討苦吃**。

A: Stop picking on him.
He's bigger than you.
You're just **asking for it.**

注：本句是指說者預期到會有不好的結果。

226 你還頂嘴！ Talk back.

A：**你還**跟你媽媽**頂嘴**！
你真大膽！

A: Don't you **talk back** to your mother!
How dare you !

注：talk back（頂嘴），就是回答的態度或方式很不禮貌的意思。

227 我不行了！ I'm done.

A：我一口也吃不下了，
我不行了！

A: I can't eat another bite.
I'm done.

注：在以下幾種情況可以用I'm done來表達：① 感到太累、不耐煩而不想做某事。② 吃太飽而不想再吃。③ 完成某件工作。另外，也可用"I'm finished."來代替，意思一樣。

228 我就知道！ I knew it !

A：你這騙子！
我就知道！

A: You liar !
I knew it !

注：表示事情打一開始你就知道是怎麼回事了。

229 看得出來。 You can tell.

A：你胖了，不是嗎？
看得出來。

A: You gained weight, didn't you ?
You can tell.

230 來得及嗎？① Is it too late ?

A：你認為我們能趕上最後那班列車嗎？
來得及嗎？

A: Do you think we can make it to the last train ?
Is it too late ?

來得及嗎？② Can we make it?

A：再10分鐘我就得走了。
你認為我們**來得及嗎？**
B：沒問題。
5分鐘之內我們就可以搞定了。

A: I only have 10 minutes before I have to go.
Do you think **we can make it**?
B: No problem.
We can finish it in 5 minutes.

注："Is it too late ?" 是問是否還有足夠的時間，"Can we make it ?" 是問：我們可及時完成嗎？或我們可及時趕到嗎？

231 不買可惜。 Hard to pass up.

A：打折的衣服實在**不買可惜。**

A: Clothes on sale are **hard to pass up**.

注：pass up放棄、拒絕，也就是turn down的意思。

232 快去快回！ Hurry back !

A：**快去快回！**
我會在這裡等你。

A: **Hurry back** !
I'll be here waiting for you.

233　你說了算。① Up to you.

A：我不在乎去那裡吃飯。　A: I don't care where we go for dinner.
你說了算。　It's **up to you**.

你說了算。② Anything you say.

A：你是主管。（你做主）　A: You're the boss.
你說了算。　**Anything you say** sir.

注："up to you" 就是讓對方決定，自己照著辦就是了。

234　放鬆一下！ Relax！

A：別緊張。　A: Don't be nervous.
放鬆一下吧！　**Relax**！

注："Relax" 和 "Don't worry." 的意思一樣，都是叫人放輕鬆。

235　習慣就好。 It's fine once you get used to it.

A：醫學院好難唸！　A: Medical school is so hard！
B：**習慣就好**。　B: **It's fine once you get used to it**.

注：本句也可說：It's fine.、It's not bad.、It's ok.、It's alright.、You'll be fine.等等。

236　自作自受。① Serves you right！

A：我的男朋友瞞著我　A: My boyfriend cheated on me！

拈花惹草。

B：你是**自作自受**！ B: **Serves you right**!
也許他發現是妳 He probably found out that you
先開始亂來的。 were cheating on him first.

自作自受。② You get what you deserve.

A：我被革職了。 A: I got fired.
B：你**自作自受**。 B: **You get what you deserve**.

237 我急著要。 I need it badly.

A：我能跟你借些錢嗎？ A: Can I borrow some money from you?
我急著要。 **I need it badly**.

注：急著要就是馬上要，一般常說as soon as possible（越快越好），簡寫A.S.A.P.。年輕人常唸做A.SAP.。

238 說話算話！ You can't take it back!

A：你確定你是認真的嗎？ A: Are you sure you mean it?
記住，**說話算話**！ **You can't take it back**, you know!

注："You can't take it back!" 字面上的意思是既然已經說了或做了，就不能反悔。

239 笨蛋一個！ Idiot!

A：今天放假他還上學。 A: He went to school even though it's a holiday.
笨蛋一個！ What an **idiot**!

注：本句的idiot也可用dumbass（蠢蛋）代替，然而後者較爲粗俗，含有咒罵人的意味。

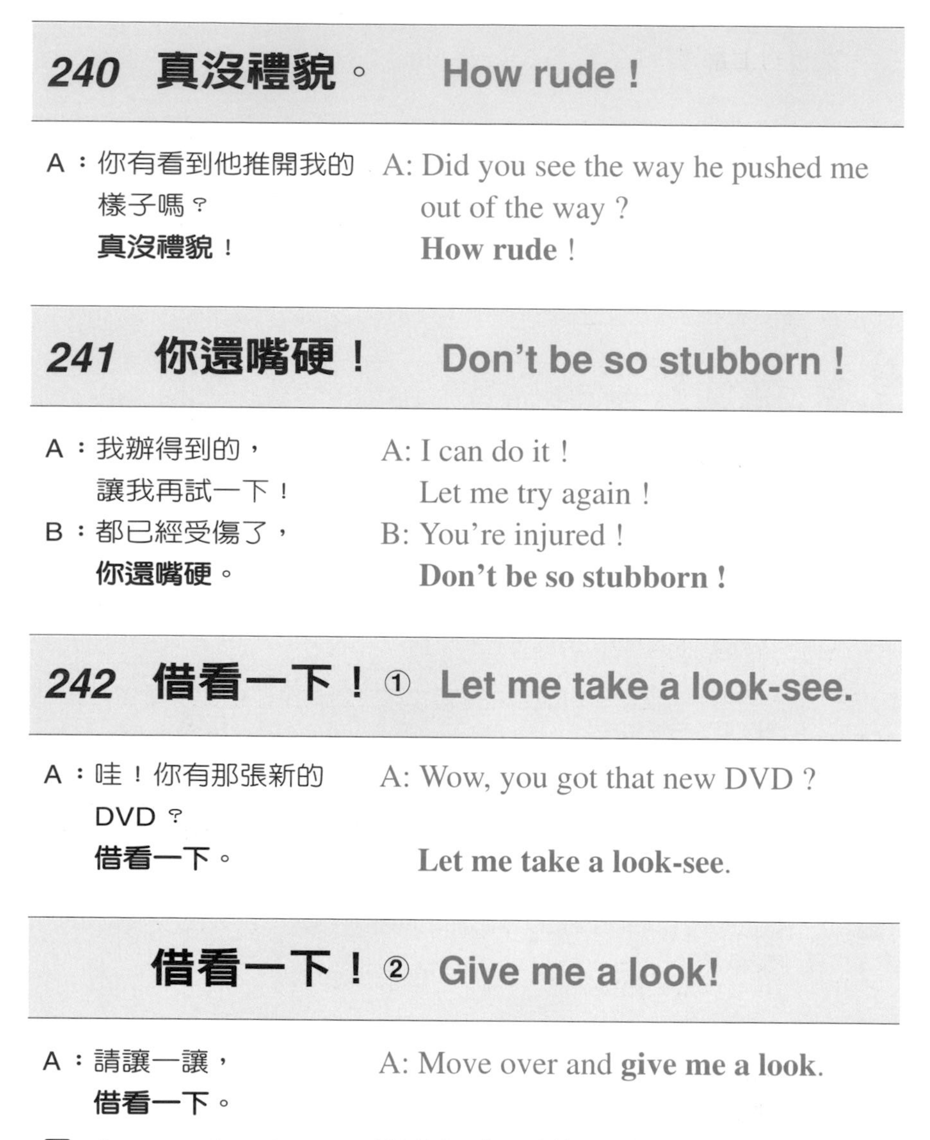

240 真沒禮貌。 How rude !

A：你有看到他推開我的樣子嗎？**真沒禮貌**！

A: Did you see the way he pushed me out of the way ? **How rude** !

241 你還嘴硬！ Don't be so stubborn !

A：我辦得到的，讓我再試一下！

B：都已經受傷了，**你還嘴硬**。

A: I can do it ! Let me try again !

B: You're injured ! **Don't be so stubborn !**

242 借看一下！① Let me take a look-see.

A：哇！你有那張新的DVD？**借看一下**。

A: Wow, you got that new DVD ? **Let me take a look-see**.

借看一下！② Give me a look!

A：請讓一讓，**借看一下**。

A: Move over and **give me a look**.

注：Let me take a look-see是俚語用法，比較正式的一般用法是give me a look。

243 可想而知。 Goes without saying.

A：她是班上最漂亮的女生。 A: She's the prettiest girl in the class.

B：**可想而知**。 B: That **goes without saying**.

注：本句是比較正式的說法，一般年輕人口語上常以"Duh !"表示相同的意思，不過語氣比較酸，隱含"這件事誰都知道，你還以為我不曉得啊？"的味道。

244 氣死我了！① Makes me so mad !

A：天啊！ A: God!

他們不肯放過我， They won't leave me alone.

氣死我了！ **Makes me so mad** !

氣死我了！② Piss me off!

A：那個人實在**氣死我了**！ A: That man really **pissed me off** !

注：makes me so mad是口語的用法，一般文章上較正式的表達要在句首加上主詞，如it、that、he…等，讓句子完整。piss me off是比較粗俗的俚語。

245 說來聽聽。 Let's hear it.

A：我有個消息跟你說！ A: I have got a story for you !

B：**說來聽聽**。 B: **Let's hear it**.

246 天要亡我！① I've got no place to go.

A：你一定要幫我。 A: You have to help me.
天要亡我！ **I've got no place to go.**

天要亡我！② I've come to a dead end.

A：我不知該怎麼辦。 A: I don't know what to do.
天要亡我。 **I've come to a dead end.**

注：以上兩句都隱含絕望的語氣，其中，"No place to go" 還帶有請求別人幫忙的意思，而 "I've come to a dead end." 則特別用來形容經過一番努力卻仍然失敗的情形。

247 順其自然。 Go with the flow.

A：我怎麼知道當我到那裡時要做什麼？ A: How will I know what to do when I get there ?
B：只要**順其自然**，就會沒事。 B: Just **go with the flow**. You'll be fine.

注：這是俚語，flow 原意是水流，這裡用來指就像水會自然流動，事情也會自然解決。

248 俗又大碗。 Get your money's worth.

A：我用這麼少的錢買到那麼多東西。 A: I got so much for so little money.
真是**俗又大碗**。 I really **got my money's worth**.

249 說來話長。 It's a long story.

A：請告訴我保羅究竟發生什麼事了。
B：這**說來話長**。

A: Please tell me what has happened to Paul.
B: **It's a long story**.

注：這句話意味著情況過於複雜，難以細說分明。

250 無怨無悔。 No regrets.

A：發生這麼多事之後，你有什麼想法？
B：**無怨無悔**。

A: What do you think after all these things ?
B: **No regrets**.

注：本句句首可加上I have，變成"I have no regrets."意思一樣。

251 買一送一。 Buy one get one free.

A：他們正在舉行特賣。**買一送一**喔。

A: They are having a sale. **Buy one get one free**.

注：本句是廣告或商店中常見的宣傳用語。

252 打個折吧！ Give me a discount. (Can I get a discount ?)

A：太貴了，不如給我**打個折吧**？

A: This is so expensive. Why don't you **give me a discount** ?

注：雖然在歐美國家能講價的地方很少，但也可以用這句話問看看，說不定會有意外的收獲。

253 血債血還。 An eye for an eye.

A：因為他殺了那個女人，他們要吊死他。
A: They are going to hang him for killing that woman.

B：這就是所謂的**血債血還**。
B: That's what we call **"An eye for an eye."**

注：這句話語出聖經，原本是"An eye for an eye, a tooth for a tooth."。通常只用到前半句。

254 不知羞恥！ Shame on you！

A：你不該那樣對待你的外婆。
真是不知羞恥！
A: You can't treat your grandmother that way.
Shame on you！

注：這句通常帶有嘲諷或是責備的語氣。

255 你省省吧！ Save it！

A：我會讓他成為本年度最佳歌手。
A: I will make him the pop singer of the year.

B：**你省省吧**！
B: **Save it**.

注：本句跟save your breath是同樣的意思，叫人別白費力氣、做白工了。

256 看緣份吧！ Leave it up to fate (destiny).

A：你不能控制所有的事。
看緣份吧！
A: You can't control everything.
Leave it up to fate. (destiny)

注：在美國只是偶爾在戲劇性的場合用到這些字，可說是過時的字眼。

257 我支持你。 I'll back you up.

A：你怎麼決定，
我都支持你。

A: Whatever you decide,
I'll back you up.

258 馬馬虎虎。 So-so.

A：你今天好嗎？
B：**馬馬虎虎**。

A: How was your day ?
B: **So-so**.

注：so-so的其他種講法有：alright；not good；not bad。

259 真是有緣。 It's destiny (fate).

A：我們又在火車上相遇。
B：**真是有緣**。

A: We met on the train again.
B: **It must've been destiny**.

260 再接再厲。 Work harder.

A：這次你必須設法拿個A。
再接再厲吧！

A: You have to try to get an A this time.
Work harder！

261 白忙一場。 In vain.

A：我**白忙一場**。

A: I did it all **in vain**.

注：這是說事情結果令人大失所望，語氣多是難過失望或生氣的。

262 出師不利。 Get off on the wrong foot.

A：我第一天上班就遇上麻煩。 A: I got in trouble on my first day of work.

B：哈！**出師不利**！ B: **Got off on the wrong foot,** huh ?

注：本句表示一開始就遇上了麻煩、走錯方向或做出錯誤的決定，跟"get up on the wrong side of the bed"意思不同，後者是"心情不好、煩燥"的意思。

263 你出賣我。 You betrayed me !

A：**你出賣我**！我是你最好的朋友，你怎能這樣做！ A: **You betrayed me** ! I'm your best friend. How could you do that !

注：這是對人的嚴重指責，一般在日常生活中較少有這句話的情形出現。另外，"you traitor !"（你這叛徒），意思與本句相同。

264 一言為定！ It's a deal !

A：好，就這樣敲定了。 A: Ok, it's settled then.

B：**一言為定**。 B: **It's a deal** !

注：這句話很常見，只要是達成協議或共識，不管是商業上成交了某件案子，或是和朋友講定了某件事情，都可用"It's a deal !"表示。

265 快一點啦！ Hurry up !

A：你怎麼這麼慢，**快一點啦**！ A: You're so slow ! **Hurry up** !

注：這句話常常用來催促別人動作快一點，依情況不同，可用不耐煩的語氣或輕鬆、鼓勵的口吻來表達。

266　我不在乎。　I don't care.

A：大家都會笑你的。　A: Everyone will laugh at you.
B：**我不在乎。**　B: **I don't care** !

注：這句話在朋友之間或私底下可以說成"I don't give a shit !"或"I don't give a damn !"，語氣上更直接，但較為粗俗。

267　真是遺憾。　What a shame (pity).

A：他13歲就去世了。　A: He died at the age 13.
B：**真是遺憾！**　B: **What a shame**.

注：本句也可說"That's too bad."。

268 我怎麼知道？
How would I know ?

A：發生什麼事了？ A: What happened ?

B：**我怎麼知道**？ B: **How would I know** ?

我才剛回來。 I just got back.

注：句子在I加強語氣，有“爲什麼要問我”的意味。

269 不關我的事。
None of my business.

A：為什麼你不跟她談談這件事？ A: Why don't you try to talk to her about it ?

B：這**不關我的事**。 B: It's **none of my business** !

注：這句話也暗示不關“對方”的事。

270 我是清白的。
I'm innocent.

A：不要看我，　　　A: Don't look at me.
　　我是清白的。　　　**I'm innocent**.

注：innocent本身有兩種意思 ① 無罪的、清白的 ② 不成熟、無知的。這兒的例句意謂著"我和這事無關、不是我做的"。

271 面對現實吧！
Wake up and smell the coffee !

A：是**面對現實**的時候了！　A: Time to **wake up and smell the coffee !**

注：可直接說"Face reality !"是較正式的說法。

272 筆記借我抄！
Lend me your notes.

A：我沒上課。　　　A: I missed class.
　　你能把**筆記借我抄**嗎？　　Can you **lend me your notes** ?

273 這不是重點！
That's not the point !

A：**這不是重點**。　　　A: **That's not the point**.
　　你不了解。　　　You don't understand.

注：這句話可在that，not或point上加強語氣。

274 包在我身上。
You can count on me.

A：我們是一家人。	A: We're family.
不管怎樣，	Whatever happens,
都**包在我身上**。	**you can count on me**.

注：本句count用depend代替意思一樣。

275 有錢好辦事。
Money makes the world go round.

A：如果我有錢，	A: If I'm rich,
我就能為所欲為。	I'll be able to do anything I want.
你知道的，	You know,
有錢好辦事。	**money makes the world go round**!

注：這句也可以只說"Money talks!"就好。

276 別那麼誇張。
You're overdoing it.

A：我恨透他了…我想砸他的車子，搶他的房子，偷他的銀子…	A: I hate him so much...I want to wreck his car, rob his house, steal his money....
B：**別那麼誇張**。	B: **You're overdoing it**.

注：台灣人常用這句話，而美國人很少用。

277 不可以偏食。
Can’t be picky (about food).

A：我們錢不夠。 A: We don’t have enough of money.
你**不可以偏食**。 You **can’t be picky about food**.

注：本句可用choosy來代替picky，意思相同。另外，有一句常用的諺語“Beggars can’t be choosers.”與這句話意思接近，是說人不可以對免費的事物太過要求，也就是“不要得了便宜還賣乖”的意思。

278 行不通的啦！
It’s not gonna work.

A：你不該用其他的方法。 A: You can't do it another way.
行不通的啦。 **It’s not gonna work**.

注：gonna的正式用法是going to。

279 你這大嘴巴！
You and your big mouth.

A：我告訴過你不要跟別人講！ A: I told you not to tell anyone！
這是個祕密！ It was a secret！
你這大嘴巴！ **You and your big mouth**！

280 我快餓扁了。
I’m starving to death.

A：**我快餓扁了，**
能快點開動嗎？

A: **I'm starving to death.**
Can we eat soon ?

注：英文和中文一樣，也會說“我快餓死了”。另外“I'm so hungry that I could eat a horse.”（我餓得可以吃下一匹馬）也是很常見的說法。

281 我快脹死了！
I'm stuffed.

A：我吃不下，
我快脹死了！

A: I can't take another bite.
I'm stuffed.

282 你喜歡就好。
As long as you like it.

A：我不管那鑽石戒指多少錢。
只要你喜歡就好。

A: I don't care how much that diamond ring costs.
As long as you like it.

注：這句話就是“只要你喜歡，一切都沒問題。”的意思。

283 怎麼會這樣？
How did this happen ?

A：**怎麼會這樣？**
快把它修好！

A: **How did this happen ?**
Fix it !

注：這句通常是指你不希望發生的事竟然發生了。

284 你在煩什麼？
What's bugging you ?

A：**你在煩什麼？**　　A: **What's bugging you** ?
沒什麼好擔心的。　　There's nothing to worry about.

注：本句是口語用法，如果用bothering代替bugging會顯得正式些。

285 有什麼關係？
What does it matter ?

A：你不該有那種舉動。　　A: You shouldn't act that way.
B：**有什麼關係。**　　B: **What does it matter** ?

注：本句與以下句子意思相同：1. What's the matter ?，2. What's the problem ?，3. Does it make a difference ?。

286 一切聽你的。
You're the boss.

A：**一切聽你的！**　　A: **You're the boss** !
我會照你說的做！　　I'll do whatever you say !

注：現在的俚語中年輕人也用"You're the man"，意思一樣，此時多半指對方"夠酷、夠讚"，所以聽他的。

287 你方便就好。
Whatever's convenient for you.

A：我會到你選的地方見你。　　A: I'll meet you any place you choose.

你方便就好。 Whatever's convenient for you.

288 我們扯平了。
We're even.

A：好，這次你贏，上次我贏，所以**我們扯平了**。
A: Ok, you win this time, but I won last time. So, **we're even**.

注：這句在比賽時，可以用來形容雙方比數相同，在一般用法則是互不虧欠之意。

289 這才像話嘛！
That's more like it！

A：好啦，給你1000元去買衣服。
A: Ok. I'll give you $1000 to buy clothes.

B：哦！**這才像話嘛**！
B: Yeah！**That's more like it**！

290 跌個狗吃屎！
Take a bad spill！

A：你怎麼了？
A: What happened to you?

B：我在樓梯**跌個狗吃屎**！
B: I **took a bad spill** on the stairs.

注：跌個狗吃屎也可以說"I fell face first onto the floor."。

291 說點別的吧！
Change the subject.

A：我們能不能**說點別的**？我不想再談這件事了。

A: Can we please **change the subject**? I don't want to talk about this anymore.

292 聽天由命吧！ Let it be.

A：這種事常發生。**聽天由命吧**！

A: These things happen all the time. **Let it be**.

注：本句也可以說 "Leave it be."，要對方不要擔心，順其自然的意思。

293 三思而後行。 Look before you leap.

A：不要急著做決定。要**三思而後行**。

A: Stop being so impulsive about your decisions. You must **look before you leap**.

注：另外，"Think before you speak." 與這句話意思相同，也很常用。

294 你很遲鈍耶！ You're so retarded!

A：**你很遲鈍耶**！

B：你竟敢這樣說我！

A: **You're so retarded**!

B: How dare you call me that!

注：retarded 這個字對人很不禮貌，有輕視別人的意思，現在多用 "mentally challenged" 來代替 retarded。

295 你懂不懂啊？
Don't you get it ?

A：我告訴過你多少次了。**你懂不懂啊？**
A: I've told you a million times. **Don't you get it ?**

注：本句帶有不耐煩或輕視的語氣。

296 別放在心上。
Never mind.

A：我傷害了你的感受，對不起。
B：**別放在心上。**

A: I'm sorry for hurting your feelings.
B: **Never mind.**

注：本句可和下列句子交互使用：1. Don't worry !，2. Don't you worry about it !，意思都一樣。

297 我無能為力。
Out of my control.

A：那不是我的錯。**我無能為力。**
A: It's not my fault. That was **out of my control.**

注：control可用hands代替，意思一樣。

298 明天再說吧！
Talk about it tomorrow.

A：夠了，
A: Enough,

我好累。　　　　　I'm so tired.
明天再說吧！　　　Let's **talk about it tomorrow**.

299　我走不動了。
I can't move.

A：我吃得太飽又好累，　A: I'm so full and tired,
我走不動了。　　　**I can't move**!

300　你認錯人了。
You got the wrong person.

A：我不是史黛拉。　　A: I'm not Stella.
你認錯人了。　　　**You got the wrong person**.

301　真是受不了。
I can't take it.

A：我要走了。　　　　A: I'm leaving.
真是受不了。　　　**I can't take it** anymore.

注：這句話在句尾加anymore可加強語氣，表示"無法再忍受了"

302　你會後悔的。
You'll be sorry.

A：你不曉得自己在做什　A: You don't know what you're doing.

麼。

你會後悔的。 **You'll be sorry.**

注：這句可說成 "You'll regret it."。

303 嚇我一大跳！ You scared me !

A：別再這樣。 A: Don't do that again.

你嚇了我一大跳。 **You scared me** !

注：本句句尾加上 "to death" 可加強語氣，表示 "你把我嚇死了"。

304 你想太多了！ You think too much.

A：沒有必要擔心， A: No, there's no need to worry about that.

你想太多了， **You think too much.**

放輕鬆。 Just relax.

305 說了也沒用。 Doesn't matter what you say.

A：**說了也沒用。** A: **It doesn't matter what you say.**

他已經決定了。 He already made up his mind.

注：本句意味對方已作出決定，不管你怎麼說都不會改變。

306 太誇張了吧！ ①
That's an exaggeration !

A：才沒這回事！ **太誇張了吧**！

A: There's no such thing ! **That's an exaggeration !**

太誇張了吧！ ②
Go overboard !

A：他不必把店裡的東西都買給她。他**太誇張了吧**！

A: He didn't need to buy her everything in the store! He **went** completely **overboard**.

注："to go overboard"字面意思是超過了船邊而掉出去。用來指情況超過了一般範圍，太誇張、太離譜了。

307 可以走了嗎？
Can I go now ?

A：我都做完了。我**可以走了嗎**？

A: I'm finished with all my work. **Can I go now** ?

注：這句話表示當事者很想離開。

308 真拿你沒輒。
You're hopeless !

A：別心不在焉的。**真拿你沒輒**！

A: Get your head out of the clouds. **You're hopeless** !

309 下次好運囉！
Better luck next time !

A：你幾乎成功了，
下次好運囉。

A: You almost got it.
Better luck next time !

注：以輕鬆的語氣在比賽終了，勉勵落敗者“下次運氣會更好”。平常在朋友間也會這樣來安慰對方下次會更好。然而也有人故意藉著這樣說，來嘲笑對方的失敗。

310 我才不信咧！ ①
Yeah right.

A：他真的喜歡你。
B：**我才不信咧**！

A: He really likes you.
B: **Yeah right**.

我才不信咧！ ②
I don't believe it.

A：你這次考試考滿分耶！
B：**我才不信咧**！

A: You got a perfect score on your test this time !
B: **I don't believe it.**

311 門兒都沒有！
Not a chance !

A：你認為我今年會升遷或加薪嗎？
B：**門兒都沒有**！

A: Do you think I can get a promotion or a raise this year ?
B: **Not a chance** !

注：本句句尾加上“in hell”就成了俚語用法。

312 太離譜了吧！
Off base！

A：我預計我們兩天內完成這個案子。
B：**太離譜了吧！**這是不可能的事。

A: I predict that we'll finish this project in 2 days.
B: You're way **off base**！That's impossible！

313 讓我死了吧！
Just shoot me！

A：太尷尬了。**讓我死了吧！**

A: I'm so embarrassed. **Just shoot me**！

314 我也這麼想。
I agree.

A：我認為這個政黨不會維持很久。
B：**我也這麼想。**

A: I don't think that this political party will last very long.
B: **I agree**.

注：這句話也可說成“I think so too.”或慎重的說“I concur.”。

315 別被他唬了。
Don't let him fool you.

A：我知道他有魅力，
但**別被他唬了**。

A: I know he's charming,
but **don't let him fool you**.

注：fool，佔人便宜、欺騙或玩弄的意思。

316 實際一點吧！
Be practical !

A：不要買這些瑣碎的東西。
實際一點吧！

A: Don't buy all those frivolous things.
Be practical.

317 你來評評理。
You be the judge.

A：我們沒辦法分辨誰對誰錯。
你來評評理。

A: We can't tell which one is right.
You be the judge.

注：本句常常是律師對陪審團說的話。

318 你現在才來！
Took you long enough.

A：唉呀！
你現在才來！
什麼事耽擱啦？

A: Finally !
Took you long enough !
What took you so long ?

319 一共多少錢？
How much is it all together ?

A：所以加上這個和那個…以及保險和維修保固。
一共多少錢？

A: So with this and that...and the insurance and warranty,
how much is it all together ?

320 還差的遠咧！
Far from it !

A：我猜對了嗎？
B：不，**還差得遠咧**。

A: Did I guess right ?
B: No, you're **far from it** !

321 你搞砸了啦！
You messed up !

A：**你搞砸了啦**！
現在我要花時間重新做過。

A: **You messed up** !
Now I have to waste my time and do it all over again !

注：mess 在這裡是動詞。

322 不用麻煩了。
Don't bother !

A：要不要我拿些東西給你吃？

A: Can I get you something to eat ?

B：**不用麻煩了，**
我自己來。

B: **Don't bother.**
I can help myself.

323 要不要來賭？
Wanna bet?

A：我隨時都可以贏過你。
要不要來賭？

A: I can beat you anyday.
Wanna bet?

注：本句可按字面解釋成要和人打賭，但大多數當事者的用意在顯示自己是對的。

324 信不信由你。
Believe it or not.

A：事情就是那樣，
信不信由你。

A: That's what happened.
Believe it or not.

325 我聽到了啦！
I heard you.

A：好啦！
我聽到了啦！

A: O. K.!
I heard you!

326 你說得容易。
That's easy for you to say.

A：我覺得我們今年很有機會。　A: I think we have a good chance this year.

B：**你說得容易。**　B: **That's easy for you to say.**

注：本句口氣表示出不認同對方的說法。

327 不用你插嘴！ You don't need to interrupt !

A：閉嘴！**不用你插嘴！**　A: Shut up ! **You don't need to interrupt !**

注：說這句話的語氣通常是不耐煩的；比較客氣的說法則是"Excuse me"或"Please"。

328 你算哪根蔥？ Who do you think you are ?

A：**你算哪根蔥？**神嗎？　A: **Who do you think you are ?** God ?

注：這句帶有責難對方的語氣，所以是不怎麼客氣的一句話。

329 別有樣學樣！ Don't be a copycat !

A：你可以更有創意。**別有樣學樣。**　A: You can be more creative. **Don't be a copycat.**

注：小孩子之間常常用這句話。

330 坐過去一點！
Move over !

A：**坐過去一點！**
你佔太大空間了！

A: **Move over !**
You're taking up so much room !

331 眼睛張大點！
Open your eyes !

A：你看不到嗎？
眼睛張大點！

A: Can't you see ?
Open your eyes !

注：叫人眼睛睜大點就是要對方再看清楚點的意思。類似句子有 Open your heart.（寬厚一點），Open your mouth.（儘量說出來）。

332 真是太慘了！
That's terrible !

A：我的狗昨天被車子輾死了。
B：**真是太慘了！**

A: My dog got run over by a car yesterday.
B: **That's terrible !**

注：這句話也可用 "Horrible !" 代替，帶著震驚、不敢置信的口氣。

333 我快崩潰了。
I'm going out of my mind !

A：我需要休假。
我快崩潰了。

A: I need to go on a vacation.
I'm going out of my mind !

注：這裡的意思是“瘋掉了”，但如果說“You're going out of your mind !”就是指對方笨透了或瘋掉了的意思。

334 你不想活啦？
You wanna die?

A：跟那個粗壯的拳擊手打架？
你不想活啦！

A: Fight with that strong boxer ?
You wanna die ?

注：形容別人所做的事很冒險，wanna是want to的口語。

335 我嚇到腿軟。①
Shake like jelly.

A：可不可以過來陪我一下？
看了那場電影後，
我嚇到腿軟。

A: Will you come stay with me ?
After seeing that movie,
I **shake like jelly**.

我嚇到腿軟。②
Like jelly.

A：我嚇死啦！
我嚇到腿軟。

A: I'm so scared.
My legs feel **like jelly.**

注：jelly也可用jello代替，表示兩腿沒力或在顫抖。

336 我情不自禁。
I can't help myself.

A：如果你要瘦身，
你就不要吃那麼多。
B：**我情不自禁**啊。

A: If you want to lose weight,
you have to stop eating so much.
B: **I can't help myself**.

注：help 在此可用 control 代替，表示"我不能控制自己"。

337 我別無選擇。
I have no choice.

A：對不起！
除了離開，**我別無選擇**。

A: I'm sorry,
I have no choice but to leave.

338 眼不見為淨。
Ignorance is bliss.

A：但願我不知道真相。
眼不見為淨。

A: I wish I didn't know the truth.
Ignorance is bliss.

注：這是句諺語，意即"不知道眞相有時反而比較好"。

339 我豁出去了！
I've got nothing to lose.

A：你知道，這很危險。
B：**我豁出去了**！

A: This is very dangerous, you know.
B: But **I've got nothing to lose**.

注：以不在乎的語氣說這句話。

340 我跟他不熟。
I don't know him well.

A：你認識凱倫嗎？
B：**我跟她不是很熟，**但我跟她出去過幾次了。

A: Do you know Karen ?
B: **I don't know her well,** but I hung out with her a few times.

注：相反的說法"I know him very well."，年輕人說這句話時，有時暗示彼此已經有性關係了，當然還得看當時的情況及說話的口氣而定。

341 到時候見啦！
See you later.

A：再見！
到時候見啦！

A: Bye!
See you later !

342 這裡給你坐。
Take a seat.

A：請，**這裡給你坐**。

A: Please, **take a seat**.

343 誰會這麼蠢？
Who would be so dumb?

A：我不信她真的相信我們。
誰會那麼蠢？

A: I can't believe she actually believed us.
Who would be so dumb ?

注：如果當別人的面說他so dumb，那是非常不友善、輕視人的說法。

344 你有意見嗎？
Do you have an opinion ?

A：開會時，你一句話也沒說。**你有意見嗎**？

A: You haven't said anything during the meeting. **Do you have an opinion** ?

345 你還不夠格。①
You don't have the right.

A：你以為你是誰呀？**你還不夠格**說那些話。

A: Who do you think you are? **You don't have the right** to say those things.

注：right "權利"，是名詞，這句話較不客氣，帶有批評的語氣。

你還不夠格。②
You're not qualified.

A：我能跟經理談談我對這個企劃的看法嗎？

B：**你還不夠格**。

A: Can I talk to the manager about my ideas for this project ?

B: **You're not qualified** !

注：這個回答比"You don't have the right."更禮貌、婉轉。

346 誰管那麼多？
Who cares ?

A：如果我們不作資源回收，地球上的垃圾會太多，而且沒地方放。
A: If we don't recycle, there'll be too much trash on the earth, and no where to put it.

B：**誰管那麼多？**
B: **Who cares** ?

注：也就是說沒什麼人會關心這事。而有些情況下的意思是"It doesn't matter !"比如說你的朋友很容易杞人憂心，你會說"Who cares ?"來安撫對方說事情沒那麼嚴重，不用太在意。

347 我才不信邪。
I don't buy it.

A：考試前洗腳會為你帶來好運。
A: Wash your feet before the exam. It will bring you good luck.

B：**我才不信邪**。
B: **I don't buy it**.

注：本句是"I don't believe it."的俚語，表示不相信對方的說法。

348 你行不行啊？
Can you do it ?

A：我必須先走了，**你行不行啊？**
A: I need to go now, but **can you do it** ?

注：依前後文不同，這句話有時在關心別人，問他有沒有需要幫忙；有時在質疑對方有沒有足夠的能力。

349 便宜沒好貨。
You get what you pay for.

A：這隻錶已經壞了…我上個月才買的。
A: This watch broke already... I just bought it last month.

B：**便宜沒好貨**。 B: **You get what you pay for**.

注：通常是說便宜的東西容易壞，反之貴的東西品質會較好，就是俗稱的一分錢一分貨。

350 完美主義者。
Perfectionist.

A：她總是努力把所有事情弄得盡善盡美。 A: She always tries to make everything around her as perfect as possible.

B：真是個**完美主義者**。 B: What a **perfectionist**.

注：依上下文可以是讚美對方力求完美，或是諷刺別人，吹毛求疵得讓人受不了。

351 天不從人願
You can't always get what you want.

A：我知道這該是你的，很遺憾，**天不從人願**。 A: I know you deserve it, and I'm sorry, but **you can't always get what you want**.

352 我跟你拼了！
Bring it on !

A：想幹架嗎？**我跟你拼了**！ A: Do you want to fight ? **Bring it on** !

注：年輕人用的俚語，常是發生爭執的時候，用來挑釁對方的話。

353 聽你在放屁！
That's bullshit !

A：我能用頭倒立20分鐘。
B：**聽你在放屁！**

A: I can stand on my head for 20 minutes.
B: **That's bullshit** !

注：本句屬於粗話，表示非常地不屑。

354 現在要怎樣？
What now ?

A：我做完了。
現在要怎樣？

A: I'm finished.
What now ?

355 都是你害的。
It's all your fault !

A：**都是你害的**！
我恨你！

A: **It's all your fault** !
I hate you !

注：常見於小孩子之間吵架時的氣話。

356 我有什麼好處？
What's in it for me ?

A：我要你跟我去參加員工旅遊。
B：**我有什麼好處？**

A: I want you to come with me to my company's outing.
B: **What's in it for me** ?

357 你一點都沒變！
You haven't changed a bit !

A：你跟高中時看起來一模一樣。
你一點都沒改變！

A: You look and act exactly the same as you did in high school.
You haven't changed a bit.

注：這句話除了可表達對於對方看起來依然年輕感到驚訝，有時也可用來挖苦人，暗示對方一點也沒成長。

358 我改變心意了。
I changed my mind.

A：我以為你說要去。　A: I thought you said that you wanted to go.

B：**我改變心意了**。　B: **I changed my mind**.

359　還是有希望的。
There's still hope.

A：不要擔心，　A: Don't worry.
你還是有希望的。　**There's still hope** for you.

360　他的話不可信。
Don't believe a word he says.

A：**他的話不可信**。　A: **Don't believe a word he says**.
他是個騙子。　He's a liar.

注：本句可以用來警告他人不要輕信某人，或用來諷刺某人的信譽、能力不佳，不足以倚靠。

361　你在哪裡買的？
Where'd you get it ?

A：我喜歡那件毛衣！　A: I love that sweater !
你在哪裡買的？　**Where'd you get it** ?

注：這句通常用來詢問某物是在哪個地方買的，或是從誰那裡得到的。

362　真是失望透頂。
What a disappointment.

A：我以為我們會贏的。 A: I thought we would win！
真是失望透頂！ **What a disappointment！**

注：根據語氣和場合的不同，這句話可以是嚴肅的，表示真的感到失望；但也有幸災樂禍的情況，表示對聽者的失誤暗自竊喜。另外，也可用 "What a bummer！" 來表達失望，但這句話就沒有幸災樂禍的味道了。

363 這下你可糟了！
You really did it this time！

A：我告訴你多少次不要做這件事。 A: I told you a thousand times not to do that.
這下你可糟了！ **You really did it this time！**

注：在不同狀況下，若對方順利完成某件任務，這句話就可以譯成"這下你成功了！"。

364 我看他不順眼。
He rubs me the wrong way.

A：雖然沒跟他說過話，我也不喜歡他。 A: I don't like him even though I never talked to him.
我就是看他不順眼。 **He just rubs me the wrong way.**

365 我會找你算帳！
You'll pay for this.

A：你把這件大案子給搞砸了。 A: You screwed up this big project.
我會找你算帳！ **You'll pay for this！**

注：這是很常見的口語表達，說的時候語帶威脅之意。

366 簡直無法相信！
I can't believe it !

A：**簡直無法相信**！
他捲款潛逃！

A: **I can't believe it** !
He just ran off with my money !

注：本句若在句子前加上"Oh my God"，語氣上會加重。

367 罩子放亮一點！
Open your eyes !

A：**罩子放亮一點**！
你看不出他在騙你嗎？

A: **Open your eyes** !
Can't you see that he's cheating on you ?

注："cheat on someone"在美國特別指瞞著配偶、情人在外拈花惹草、紅杏出牆。

368 我懂你的意思。
I know what you mean.

A：那個女孩真卑鄙。
B：對呀！**我懂你的意思**。她總是看不起人。

A: That girl is so mean.
B: Yeah, **I** totally **know what you mean**.
She always treats people like dirt.

注：年輕人習慣在句子後面順口加上"Know wad I mean ?"（what唸很快就成了wad）或"You know ?"，只是用來加強語氣而已。另外，"I know where you're coming from."意思也與本句相同。

369 只好等著看囉！ ①
Just wait and see.

A：我想知道考試的結果究竟如何。 A: I wonder what I got on my test.

B：你現在什麼也不能做，**只好等著看囉！** B: You can't do anything but **just wait and see**.

只好等著看囉！ ②
Let's play it by ear.

A：現在告訴他這一切合適嗎？ A: Is this the right time to tell him everything ?

B：**只好等著看囉！** 看他的心情好不好。 B: We'll **play it by ear**. See if he's in a good mood or not.

注：這以上兩句都是在說依到時候的情形如何再作打算。"play by ear"也指在演奏音樂時，不看樂譜而單憑記憶來演奏。

370 真的還假的啊？
Is that for real ?

A：不管你需要什麼，這裡都找得到。 A: Whatever you need, you can find it here.

B：**真的還假的啊？** 廚房用品也有嗎？ B: **Is that for real** ? Even kitchen supplies ?

注：俚語，另一個常用字是"Really ?"。

371 照著做就對了。
Just do what it says.

A：你就跟著使用手冊 **照著做就對了**。很簡單的。

A: Follow the instructions and **just do what it says**. It's easy to follow.

372 請你放尊重點！
Treat it with respect !

A：**請你放尊重點**！她是公主耶。

A: Please **treat her with respect**. She is a princess.

注：本句也可以說成"have respect for someone"。

373 我們來表決吧！
Let's take a vote !

A：這也不好，那也不行，（我們可二選一來進行）**我們來表決吧**！

A: We can either do this or do that. **Let's take a vote** !

注：本句也可說"Let's put to the vote."。

374 這下沒指望了！
It's hopeless !

A：**這下沒指望了**！我們絕對沒辦法準時完成的。

A: **It's hopeless** ! We're never going to finish on time.

375 我們剛說到哪？
Where were we ?

A：好了，抱歉剛剛被打斷了。　A: Ok, sorry for the interruption.
我們剛說到哪？　**Where were we ?**

注：本句是在繼續之前中斷掉的對話內容，也可用“Where was I ?”表示，意思相同。

376 我已經麻木了。
I'm numb.

A：每天做這些事，你一定覺得很煩了吧？　A: You must be so tired and sick of doing this everyday.
B：**我已經麻木了。**　B: **I'm numb.**

注：numb，本義指身體的某部分變得僵硬、麻木，此處指的是心理上的麻木沒感覺。

377 不要以大欺小！
Pick on someone your own size !

A：放過吉米吧。　A: Let Jimmy go.
他只是個孩子。　He's just a kid.
不要以大欺小。　**Pick on someone your own size !**

注：不要隨便用這句話喔！因爲這句話除了字面的意思，還暗示“你要找就找我好了”。

378 這該怎麼說呢？
How should I say this ?

A：他實在是很…
這該怎麼說呢？

A: He's just so...
How should I say this ?

注：這句話可以表示很誠懇地想幫對方了解所談論的事，或表示對所談論的事感到很無奈。

379 別小題大作了。
Don't blow it out of proportion.

A：這是我看過最糟的表演了。

A: This is the worst show I've ever seen.

B：**別小題大作了**，它沒那麼糟啦。

B: **Don't blow it out of proportion**. It's not that bad.

注：這句是很常用的成語，提醒對方不要對事情反應過度。

380 那要看情形了。
That depends.

A：你一星期去健身房幾次？

A: How many times a week do you go to the gym ?

B：**那要看情形了**。時間多的話我就去。

B: **That depends**. I go when I have more time.

381 我就跟你說吧！
See ? I told you !

A：外頭好冷喔。 A: It's cold outside.
我應該穿夾克才對的。 I should have worn my jacket.
B：**我就跟你說吧！** B: **See ? I told you.**
今天很冷的。 It's a cold day.

注：這句可以只講 "I told you so."，或 "I told you that..." 這句話小孩子很常講，並且是用得意洋洋的語氣來說的。

382 別這麼見外嘛！
Don't be a stranger.

A：**別這麼見外嘛！** A: **Don't be a stranger !**
如果你需要幫忙， If you need help,
儘管打電話給我。 just call me.

注：通常在分離的時候用以提醒對方，即使將來不會常見面，依然可以常聯絡，保持關係。

383 井水不犯河水。
You mind your business, and I'll mind mine.

A：讓我來幫你。 A: Let me help you.
B：不用了，**井水不犯河水**。 B: No, **you mind your business, and I'll mind mine**.

注：就如中文的意思一樣，這不是句禮貌的話，會讓人有冷漠的感覺。

384 不去你會後悔。
You'll regret it if you don't go.

A：我不想去參加那個派對。 A: I don't want to go to the party.

B：**不去你會後悔。** B: **You'll regret it if you don't go.**
那裡有很多帥哥呢。 There are so many hot guys there.

注：本句常用在說服別人的時候。

385 你好大的膽子。
You've got some nerve !

A：我不敢相信你做了那件事。 A: I can't believe you did that.
你好大的膽子。 **You've got some nerve !**

注：本句通常用來形容別人厚臉皮，無恥或冒失，而真正在佩服對方勇氣的情況比較少。

386 這沒有什麼啦！
There's nothing to it.

A：哇！你好厲害！ A: Wow, you're so amazing !
B：**這沒有什麼啦。** B: **There's nothing to it.**

387 有什麼了不起？
Big deal.

A：我有一支新的手機！ A: I got a new cell phone !
B：**有什麼了不起！** B: **Big deal.**

388 動一下腦筋吧！
Use your head !

A：這要怎麼做啊？ A: How do I do this?

B：**動一下腦筋吧！** B: **Use your head**!

這沒有那麼難的。 It's not that hard.

注：本句通常帶有要求的口氣，希望對方自己想辦法來解決事情；但也可當做朋友之間的玩笑話，帶有一點“你好笨喔！”的戲謔口吻。

389 別說是我做的。
Don't tell anyone that I did it.

A：**別說是我做的。** A: **Don't tell anyone that I did it**.

B：好，我會保密的。 B: Ok, I can keep a secret.

注：小孩子常把這句話說成“Don't tell on me !”或“Don't rat on me !”，意思一樣，只是後者比較俚俗一點。

390 沒必要對你說。
No need to tell you.

A：告訴我發生了什麼事。 A: Tell me what happened!

B：**沒必要對你說，** B: **No need to tell you**.

不關你的事。 It's none of your business.

注：另一種常見說法“Why tell you ?”。

391 不要學我說話！
Don't repeat everything I say !

A：你去洗碗。 A: You have to do the dishes.

B：你去洗碗。 B: You have to do the dishes.

A：**不要學我說話！** A: **Don't repeat everything I say**!

注：這句通常是在責罵小孩子「有話學話」。

392 你真是沒救了！
You're hopeless !

A：你又談戀愛啦！
你真是沒救了！

A: You're in love again !
You're hopeless !

393 你那是什麼臉？
What kind of look is that?

A：**你那是什麼臉？**
放尊重點！

A: **What kind of look is that ?**
Have some respect !

注：意即對方的表情不友善或很不屑。

394 不高興就說啊！
If you're not happy, say it !

A：**不高興就說啊！**
你一副很討厭它的樣子。

A: **If you're not happy with it, say it !**
You look like you hate it.

395 你算什麼東西？
Who do you think you are?

A：**你算什麼東西？**
你沒有權利做那件事。

A: **Who do you think you are ?**
You don't have the right to do that !

注：這是一句爭吵或爭辯中指責對方常用的話。

396 問你也是白問。
No use asking you.

A：需要我幫忙嗎？
B：**問你也是白問，**
你對電腦一點也不懂。

A: Do you need my help?
B: **No use asking you.**
You don't know anything about computers.

注：本句也常說成："What's the point in asking you... you're an idiot." 通常只出現在很熟的朋友之間，若跟不熟的人講幾乎就是在侮辱對方了。

397 你別笑死人了！
Don't make me laugh !

A：**你別笑死人了！**
我笑得臉頰都痛了。

A: **Don't make me laugh** !
I've laughed so hard my cheeks hurt.

注：本句依語調不同，可以表示事情是真的很好笑，或者在譏諷對方的言行很愚蠢可笑。

398 是這樣子的嗎？
Is that so ?

A：這台機器在它想動的時候才動。
B：**是這樣子的嗎？**
我用的時候都沒問題。

A: This machine works only when it wants to work.
B: **Is that so** ?
It always works for me !

注：這句話一般是用來表示說者對所談論的事心存懷疑，但也可用威脅的語氣表示“你最好不要這樣做！”的意思，或以無辜的口吻表達“我對這件事不是那麼清楚”。

399 你到底想怎樣？
What do you want ?

A：我不要這個！ A: I don't want this.
B：那麼，**你到底想怎樣**？ B: Well, **what do you want ?**

400 我才懶得理你。
You're not worth my time.

A：**我才懶得理你**。走開！ A: **You're not worth my time.** Go away.

注：這是非常鄙視人的說法。

401 為什麼不早說？
Why didn't you say so ?

A：我要走了。 A: I have to go now.
B：**為什麼不早說**？我已經準備了你的晚餐。 B: **Why didn't you say so ?** I've already prepared dinner for you !

注：本句的意思即為“剛剛就應該告訴我”，所指的可以是好的或壞的消息。

402 事情就是這樣。
That's the way it is.

A：**事情就是這樣，** A: **That's the way it is.**
你沒辦法改變什麼的。 You can't change anything.

注：本句也可說"That's the way it goes."。

403 別瞧不起人了！
Don't look down on others !

A：他好遲鈍！ A: He's so slow !
B：**別瞧不起人了！** B: **Don't look down on others.**
你也有缺點。 You have faults too.

404 我不是故意的。
I didn't do it on purpose.

A：對不起！ A: I'm sorry !
我不是故意的。 **I didn't do it on purpose** !

注：這句除了用來向人致歉外，當小孩調皮惡作劇後也常語帶無辜的說出 I didn't do it on purpose.。

405 那我就放心了。
That eases my mind.

A：他們會處理一切的。 A: They'll take care of it all.
B：**那我就放心了。** B: **That eases my mind.**

注："You can ease up."，跟本句意思類似，爲"你放心"的意思。

406 這就是我要的。
That's just what I'm looking for.

A：抱歉，我們這兒只剩下藍色毛衣。 A: Sorry, we only have blue sweaters left here.
B：正好！**這就是我要的。** B: Good! **That's just what I'm looking for.**

407 有總比沒有好。
Better than nothing.

A：我只有一雙鞋而已。 A: I only have one pair of shoes.
B：**有總比沒有好。** B: **Better than nothing.**

注：本句是說對所擁有的東西雖然不是很滿意，總比完全沒有好。

408 你等著看好了。
Just wait and see.

A：我們隊快輸了！ A: Our team is losing!
B：**你等著看好了，**我們會後來居上的。 B: **Just wait and see.** We'll come back.

注：本句在這裡意指情況會好轉。

409 要是我就不會。
I wouldn't if I were you.

A：你認為我該去嗎？ A: Do you think I should go ?
B：**要是我就不會。** B: **I wouldn't go if I were you.**

410 你說這什麼話？
What kind of talk is that ?

A：每個人都欠我啦。 A: Everyone owes me.
B：**你說這什麼話？** B: **What kind of talk is that ?**

注：表示對方講了一些洩氣、刻薄或令人生氣的話。

411 別再碎碎唸了！
Stop blabbering !

A：**別再碎碎唸了！** A: **Stop blabbering.**
你話太多了。 You talk too much.

412 我可不這麼想。
I don't think so.

A：我想今年我們會加薪。 A: I think we can get a raise this year.
B：**我可不這麼想。** B: **I don't think so.**

注：這句話也可用“In your dream.”，意思一樣。

413 話別說得太滿。
Don't be so sure.

A：我知道這一切都將會圓滿解決的。	A: I know it'll all work out.
B：**話別說得太滿。**	B: **Don't be so sure.**

注：意思是說事情往往不會完全照所想像的那樣進行。

414 這沒什麼稀奇。
It's nothing special.

A：我的新錶怎麼樣？酷吧！	A: How about my new watch ? It's cool, huh ?
B：**這沒什麼稀奇。**	B: **It's nothing special.**

415 這個字怎麼唸？
How do you pronounce this ?

A：我不認得這個字。**這個字怎麼唸？**	A: I don't know this word. **How do you pronounce it ?**

注：本句也可說"How do you say this ?"。

416 我的心在滴血。
My heart hurts.

A：他真的傷害了我，**我的心在滴血。**	A: He really hurt me. **My heart hurts.**

注：常用這句話來形容內心非常難過。

417 話別說的太早。
Don't jinx it.

A：我們一定會贏的！ A: We're going to win !

B：**話別說的太早**！ B: **Don't jinx it** !

比賽還沒結束呢。 The game is not over yet.

注：jinx 可譯做烏鴉嘴、觸霉頭，就如閩南語「破格」的意思。當某人在說一則即將發生的好消息，旁人惟恐因爲消息公佈得太早，事情反倒不按預期發生時，可說這句話。

418 我不是本地人。
I'm not from around here.

A：你知道銀行在那裡嗎？ A: Do you know where a bank is?

B：對不起，我不知道， B: Sorry, I don't.

我不是本地人。 **I'm not from around here**.

注：這是很常用的一句話，遇到一個看起來顯然不是本地的人，可以問他 "You're not from around here, are you ?"（你不是本地人吧？）

419 請問您還用嗎？
Are you finished?

A：**請問您還用嗎**？ A: **Are you finished** with that ?

我可以收盤子了嗎？ Can I take your plate ?

注：這句也可說 "Are you done with that ?"

420 沒什麼好謝的。
No problem.

A：多謝！　A: Thanks a lot.

B：**沒什麼好謝的。**　B: **No problem.**

注：當別人向自己道謝時，常用這句話表示“不客氣”的意思。或是當別人向你請求幫助時，回答No problem就表示答應對方。

421 我看沒這必要。
There's no need.

A：為什麼你不打電話找他們幫忙？　A: Why don't you call them for help.

B：**我看沒這必要。**　B: **There's no need.**

我已經想出辦法來了。　I figured it out.

注：本句與“It's not necessary.”意思一樣。

422 這是你說的喔！
You said it, I didn't.

A：她要離開我，不是嗎？　A: She's going to leave me, isn't she?

B：**這是你說的喔！**　B: **You said it, I didn't.**

注：這句話表示說話的人在撇清責任，不願因說出實情而惹上麻煩。

423 我只有一雙手。
I can't do two things at the same time.

A：我怎麼可能自己一個人做完？
我只有一雙手。

A: How am I going to get it all done by myself ?
I can't do two things at the same time.

注：這句也可用 "I only have one pair of hands." 來表示，只是比較不常用。

424 怎麼不說話了？
Cat got your tongue ?

A：你還好嗎？
怎麼不說話了？

A: Are you alright ?
Cat got your tongue ?

注：本句形容因害羞或緊張而說不出話來。

425 你有完沒完啊？
Are you through ?

A：**你有完沒完啊？**
這件事你已經講很久了。

A: **Are you through ?**
You've been at it for ages !

注：此句表示對對方感到不耐煩。

426 聽起來很麻煩。
Sounds like a pain in the ass.

A：如果你想申請貸款的話，你得填很多表格。
B：**聽起來很麻煩。**

A:If you want to apply for some loans, you have to fill in lots of forms.
B: **Sounds like a pain in the ass.**

注：本句用到ass這個字，屬於在私底下的說法。一般較正式的用法會，或是說：1. "Sounds like a lot of trouble." 2. "Sounds troublesome."

427 我不會怪你的。
I won't blame you.

A：對不起。 A: I'm sorry.
我把你的筆搞丟了。 I lost your pen.
B：沒關係。 B: That's O.K.
我不會怪你的。 **I won't blame you.**

注：表示對所談之事眞的不在意。

428 怎麼可以這樣？
How could you do this?

A：你**怎麼可以這樣**？ A: **How could you do this ?**
她對你那麼好！ She's so good to you !

注：這句話帶著失望的語氣，表示說者原本以爲事情會照著他期望的方式發展，結果卻不是如此。

429 我手機沒電了。
My cell phone's out of batteries.

A：你怎麼不回我電話？ A: Why didn't you answer my call!?
B：**我手機沒電了。** B: **My cell phone's out of batteries.**

注：本句也可說"My cell phone ran out of batteries."。

430 他還是老樣子。
He's the same as always.

A：我們上次見面已經是很久以前的事。恐怕我都認不出他來了。
B：別擔心。**他還是老樣子。**

A: It's been ages since we met last time. I'm afraid I won't recognize him.
B: Don't worry. **He's the same as always.**

注：如果要強調面貌外表還是一樣，可以說 "He looks the same as always."。

431 現在又怎麼了？
What's wrong now ?

A：媽！過來一下。
B：**現在又怎麼了？**

A: Mom ! Come here !
B: **What's wrong now ?**

注：表示說話的人已經不耐煩了；在一般口語上，也可說 "What now ?"。

432 就差那麼一點。
I was this close !

A：我差一點就逮到他了，**就差那麼一點！**

A: I almost caught him . **I was this close !**

注：這句話通常會在this加重聲調，一般人會加上手勢來強調有多接近。

433 我還不是很餓。
I'm not that hungry.

A：我們快點開動吧。 A: Let's eat soon.
　我餓死了。 I'm starving.
B：**我還不是很餓。** B: **I'm not that hungry** yet.

注：與本句相反的是"I'm starving."或"I could eat a horse."。

434 怎麼還不下課？
When's class gonna end?

A：**怎麼還不下課？** A: **When's class gonna end?**
　我快發瘋了！ I'm going crazy!

435 饒了我吧！拜託！
Give me a chance, please!

A：你要為你做的事付出代價！ A: You're gonna pay for what you did.
B：**饒了我吧！拜託！** B: **Give me a chance, please!**

436 你打算怎麼辦？
What are you gonna do?

A：**你打算怎麼辦？** A: **What are you gonna do?**
B：我要搬得遠遠的。 B: I'm going to move far away from here.

注：gonna＝going to；也可以用planning to代替。

437 這次不算！重來！
This time didn't count. Do it over !

A：對不起。
由於一些技術上的問題，
這次不算，重來。
B：拜託，我已經累壞了。

A: I'm sorry.
Because of some technical problems,
this time didn't count. Do it over.
B: Come on ! I'm worn out.

438 你不會後悔的。
You won't regret it.

A：跟我來。
你不會後悔的。

A: Come with me.
You won't regret it.

注：這句常用來說服人。

439 那不是很好嗎？
Isn't that great ?

A：這次考試我只拿了95分。
B：**那不是很好嗎？**

A: I only got a 95 on my test this time.
B: **Isn't that great ?**

注：great可用good代替。常用在安慰別人不要對自己太過苛求，表示"情況其實不錯、還好"；另外，當事情不是那麼順利時，也可用這句話來自我解嘲，表示"事情已經糟到這種地步，我也沒辦法"。

440 我招誰惹誰啦？
Who did I piss off ?

A：每個人都對我那麼兇。 A: Everyone is angry with me.
我招誰惹誰啦？ **Who did I piss off ?**

注：本句是一般常用的俚語，由於用字較爲粗俗，故多出現在和熟人談話之間。

441 聽我的準沒錯。
Just listen to me, and you'll be fine.

A：我不知道怎麼辦才好。 A: I don't know what to do.
B：**聽我的準沒錯。** B: **Just listen to me, and you'll be fine.**

442 先幫我墊一下（錢）！
Can you spot me ?

A：我把錢包忘在家裡了。 A: I forgot my wallet at home.
先幫我墊一下（錢）！ **Can you spot me?**

注：這是俚語用法。

443 英雄所見略同。
Great minds think alike.

A：我知道你在想什麼。 A: I know what you're thinking.
這叫**英雄所見略同。** Because **great minds think alike.**

444 你這是何苦呢？
Why torture yourself?

A：我每天上健身房兩小時。 A: I go to the gym every day for 2 hours.

B：**妳這是何苦呢？**妳已經這麼苗條了。 B: **Why torture yourself ?** You're so thin already !

445 真是個好主意。
Good idea !

A：這禮拜好忙。我們今晚出去玩吧？ A: We've been working so hard this week. Let's go out tonight.

B：**真是個好主意！** B: **Good idea** !

446 這樣不太好吧！
That's not a good idea !

A：不如我們出去吃飯吧？ A: Why don't we go out to eat ?

B：**這樣不太好吧，**我是窮光蛋一個！ B: **That's not a good idea**. I'm broke !

注：本句通常在not加強語氣。

447 人生只有一次。
You only live once.

A：走吧…你一定要去。
人生只有一次。

A: Come on, you have to go.
You only live once.

注：本句常是要說服人家把握機會。

448 你這哪算什麼？
That's nothing

A：我完了，我窮得沒辦法付那些帳單。
B：**你這哪算什麼？**
去年我還得向父母借三個月的房租呢！

A: I'm doomed. I'm so broke I can't afford to pay my bills.
B: **That's nothing.**
Last year I had to borrow 3 months rent from my parents.

449 （最近）有什麼好事嗎？
What's up ?
(What's new ?)

A：**最近有什麼好事嗎？**
很久不見了！

A: **What's up?**
I haven't seen you for ages!

注：這句話常常只是用來打招呼，和"Hey !"（你好）一樣，對方不一定要有明確的回答。

450 給我逮到了吧！
I got you !

A：哈！
給我逮到了吧！
你以為能逃過一劫嗎？

A: Ha!
I got you !
You thought you could get away with it, didn't you?

注：也可說成“I caught you !”

451 真拿你沒辦法。
I don't know what to do with you.

A：媽！ A: Mom.
我擦了幾千次， I scrubbed it down a thousand times,
它還是髒的。 but it's still dirty.
B：**真拿你沒辦法。** B: **I don't know what to do with you.**
我來吧！ Let me try.

注：這句和“You're hopeless!”意思一樣，但這句則沒有責備對方的意思。

452 不然你想怎樣？
Well, what do you want ?

A：我不想做這件事。 A: I don't want to do this.
B：**不然你想怎樣？** B: **Well, what do you want ?**

注：本句以不耐煩的語氣說，可在do、you或want加強語氣。

453 又不是我的錯！
It's not my fault !

A：不要看我！ A: Don't look at me !
又不是我的錯！ **It's not my fault !**

注：這句常在my這個字上拉長聲音以強調這件事不是「我」的責任。

7 字篇

454 什麼事那麼好笑？
What's so funny ?

A：怎麼啦？
什麼事那麼好笑？

A: What's going on ?
What's so funny ?

注：本句除了字面上的意思之外，要是有人嘲笑你，也可用這句話來斥責他。

455 不要告訴別人喔！
Don't tell anyone !

A：好！我告訴你，
但**不要告訴別人喔！**
B：我不會的，
我保證。

A: OK, I'll tell you.
But **don't tell anyone** !
B: I won't.
I promise.

456 你憑什麼指使我？
What right do you have to tell me what to do ?

A：這件事你全做錯啦！讓我來教你怎麼做。 A: You're doing it all wrong. Let me show you.

B：**你憑什麼指使我？** B: **What right do you have to tell me what to do ?**

457 不要再找藉口了！
Stop looking for excuses.

A：但是我這星期很忙，因為我父母…姆…來看我…又…。 A: But I've been so busy this week, because my parents, um, came to visit...

B：**不要再找藉口了！** B: **Stop looking for excuses.**

注：因爲已經知道別人在找藉口了，所以說這句話的時候是生氣的語氣。

458 果然不出我所料。
Just what I thought.

A：我放在抽屜的錢哪裡去了？ A: Where's the money I left in the drawer?

B：對不起，我拿去買一本新漫畫了。 B: Sorry, I took it to buy a new comic book.

A：**果然不出我所料。**我就知道是你拿的。 A: **Just what I thought.** I knew you took it !

注：在本句之後通常加上"I knew..."表示知道是怎麼回事。

459 夠了！不要再說了！
Enough! I don't want to hear it !

A：不過那是有原因的。
B：**夠了！**
不要再說了。

A: But there's a reason why.
B: **Enough !**
I don't want to hear it !

注：對一些狀況感到灰心的時候常講這句話，表示不想繼續再聽下去了。

460 怎麼不說你自己？
Look who's talking!

A：他很笨耶！
B：**怎麼不說你自己？**
沒上大學的是你。

A: He's so stupid !
B: **Look who's talking !**
You're the one who didn't go to college !

注：本句爲俚語，帶有“你也不夠資格這樣說”的諷刺意味。

461 我還會不知道嗎？
Wouldn't I know?

A：讓我問他們這樣可不可以。
B：**我還會不知道嗎？**
我是專家。

A: Let me ask them to make sure it's all right.
B: **Wouldn't I know ?**
I'm the expert!

注：這句話常用來表示自己就懂很多，不需要別人的干涉或意見。

462 現實總是殘酷的。
The truth hurts.

A：對不起，
　　現實總是殘酷的，

A: Sorry,
　　but **the truth hurts**.

注：本句若是在安慰人，是希望對方了解事情不會總是盡如人意，也可用來提醒對方對實際情況要有心理準備。

463 嘴巴放乾淨一點！
Wash your mouth out with soap !

A：你講太多髒話了！
　　嘴巴放乾淨一點！

A: You curse too much !
　　Wash your mouth out with soap !

注：本句是諺語，通常是母親在訓斥孩子；或是叫人別老是講髒話。

464 沒有其他可能了。
There's no other way.

A：**沒有其他可能了。**
　　我們得這樣做了！

A: **There's no other way.**
　　We have to do it this way.

注：本句也可講“There is no other choice.”。

465 不然這樣好不好…
How about this instead ?

A：這樣行不通耶。
B：**不然這樣好不好？**

A: This isn't working.
B: **How about this instead ?**

466 不要緊！沒什麼事。
Don't worry. It's nothing.

A：我的麻煩大了。 A: I'm in so much trouble.
B：**不要緊！沒什麼事。** B: **Don't worry. It's nothing.**

注：這句話表示說的人有能力解決。

467 怎樣？我沒說錯吧！
What? I'm right, ain't I?

A：如果我們不分手，你最後還是會背叛我…，**怎樣？我沒說錯吧！**
A: If we don't break up, you're just gonna end up cheating on me anyway... **What ? I'm right, ain't I ?**

468 我只是鬧著玩的。
I'm just kidding.

A：不要生氣，**我只是鬧著玩的。**
A: Don't get mad. **I'm just kidding.**

469 這是命運的安排。
This is destiny.

A：很高興我們終於結婚了。**這是命運的安排。**
A: I'm so glad we're getting married. **This is destiny.**

要我們永遠在一起。 We're meant to be together forever.

注：美國人平常不講這句話，因為他們大多不相信有命運這回事。

470 一個銅板不會響。
It takes two to tango.

A：為什麼隔壁那對夫妻常常吵架？ A: Why does the couple next door often quarrel ?

B：嗯，**一個銅板不會響**。或許他們兩個都有錯吧。 B: Well, **it takes two to tango.** Maybe both of them are at fault.

注：本句是成語，tango（探戈）是必須要有兩個人才能跳的舞，所以引申為"一個銅板不會響"。

471 你竟敢放我鴿子！
How dare you stand me up !

A：你跑去哪了？**你竟敢放我鴿子**！ A: Where were you ? **How dare you stand me up !**

472 你以為現在幾點？
What time do you think it is?

A：我們去買東西吧！ A: Let's go shopping.

B：**你以為現在幾點**？沒一家店開門啦！ B: **What time do you think it is?** Nothing's open !

注：表示時間不對，不是做這件事的適當時機。

473 怎麼那麼死腦筋？
How can you be so stubborn?

A：**怎麼那麼死腦筋！** A: **How can you be so stubborn ?**
你別無選擇啦！ You have no other choice !

注：stubborn，頑固、倔強的意思。

474 你會死得很難看。
You'll die a horrible death.

A：如果你敢再說一句話， A: If you dare say another word,
你會死得很難看。 **you'll die a horrible death.**

475 這事就交給我吧！
Leave it up to me.

A：不要擔心。 A: Don't worry.
我來處理。 I'll take care of it.
這事就交給我吧！ **Leave it up to me.**

476 好好考慮一下吧！
Think it over !

A：你確定要做那件事嗎？ A: Are you sure you want to do that?
好好考慮一下吧！ **Think it over.**

477 別管我！不要理我！
Leave me alone.

A：你還好吧？　　A: Are you O.K. ?
B：**別管我！不要理我！**　　B: **Leave me alone.**

478 你死了這條心吧！
Give it up !

A：**你死了這條心吧！**　　A: **Give it up.**
她一點都不喜歡你。　　She doesn't like you at all.

注：give up，放棄。

479 你在玩什麼把戲？
What are you trying to pull?

A：夠了！　　A: Stop it !
你不知道你在傷害你身邊的每個人嗎？　　Don't you see you're hurting everyone around you ?
你在玩什麼把戲？　　**What are you trying to pull ?**

注：pull是作弄、欺騙人。

480 你在開我玩笑吧！
You're kidding, right?

A：**你在開我玩笑吧？**　　A: **You're kidding, right ?**
你不是說真的吧！　　You can't be serious !

注：當你說這句話時，表示不相信對方說的話。

481 至少大家都沒事。
At least everyone's all right.

A：我們發生了車禍。 A: We got into a car accident.
但**至少大家都沒事。** But **at least everyone's all right.**

注：本句表示情況雖然很糟糕，但還是有一些部分是可以接受的。

482 你有沒有良心啊！
Don't you have a heart ?

A：想不到你竟然吃狗肉。 A: I can't believe you eat dog.
你有沒有良心啊！ **Don't you have a heart ?**

483 自己去就好了嘛！
Just go by yourself.

A：拜託陪我去嘛。 A: Please come with me.
B：**自己去就好了嘛！** B: **Just go by yourself.**
妳現在已經長大了。 You're a big girl now.

注："by one's self"是獨自面對、處理事情。

484 給我滾！閃一邊去！
Get out of here ! Out of my way !

A：你竟敢傷害我的女兒？ A: How dare you hurt my daughter ?

給我滾！	Get out of here !
閃一邊去！	Out of my way !

485 抱歉讓你久等了。
Sorry to keep you waiting.

A：**抱歉讓你久等了。**	A: **Sorry to keep you waiting.**
交通實在很亂。	The traffic is terrible.

注：keep，意指使人維持在一種狀態中。

486 別誤會我的意思。
Don't take it the wrong way.

A：你該換件衣服。	A: You should change.
別誤會我的意思，	**Don't take it the wrong way.**
你很好看，	You look good,
但我們要去的是一	but we're going to a fancy
家豪華餐廳。	restaurant.

注：本句也可用"Don't get me wrong."，這裡get、take意思都是"把（某人、某事）認爲是…"。

487 你今天不太對勁。
You're not yourself today.

A：**你今天不太對勁，**	A: **You're not yourself today.**
或許你該回家休息。	Maybe you should go home and get some rest.

注：這句話可能指對方身體上、精神上或性格上的表現與平時不同。

488 跟你有什麼關係？
What's it to you ?

A：你在做什麼？ A: What are you doing ?
B：**跟你有什麼關係？** B: **What's it to you ?**

注：表示不干對方的事，有可能在生對方的氣或是不想理會。

489 你再說，我扁你喔！
Say it again, and I'll give you a beating.

A：你根本不知道自己在做什麼。 A: You don't know what you're doing.
B：**你再說，我扁你喔！** B: **Say it again, and I'll give you a beating !**

490 你們長得好像喔！
You look alike !

A：我很驚訝你們竟然不是親戚。 A: I'm so surprised you're not related.
你們長得好像喔！ **You look alike.**

注：alike是相似、很像的意思。

491 走，我請你喝一杯！
Let's go. I'll buy you a drink.

A：別理他。 A: Don't mind him.

走，我請你喝一杯！ **Let's go. I'll buy you a drink.**

注：很多場合要邀人都可使用這句話。而男性之間的和解也常用這句話緩和氣氛。

492 喲！看看是誰來啦？
Oh ! Look who's coming!

A：**喲！看看是誰來啦？** A: **Oh ! Look who's coming !**
你還以為他不會來。 And you thought he wouldn't come.

注：這句表示看到某人來了而感到驚訝或高興；也可語帶諷刺地表示很不屑某人的來到。

493 我說真的，不騙你。
I'm telling the truth. I'm not lying.

A：哼！我不相信你。 A: Yeah right, I don't believe you.
B：拜託。 B: Come on.
我說真的，不騙你。 **I'm telling the truth. I'm not lying.**

494 你就直話直說吧！
Tell it like it is.

A：別唬我。 A: Don't try to impress me.
你就直話直說吧！ **Just tell it like it is.**

注：這句話的態度通常是直接認真的。

495 問一下又不會死。
You won't die for asking.

A：問一下嘛！
沒什麼大不了的。
問一下又不會死。

A: Just ask.
It's no big deal.
You won't die for asking.

注：本句在說服身旁的人不要因害羞、緊張而不敢請教別人。

496 我想請你幫個忙。
Could you do me a favor ?

A：**我想請你幫個忙。**
我已經走投無路了。

A: **Could you do me a favor ?**
I have no where else to turn.

497 你有沒有在聽啊？
Have you been listening ?

A：**你有沒有在聽啊？**
你不曉得發生了什麼事嗎？

A: **Have you been listening ?**
Don't you understand what's going on ?

498 也可以這麼說啦！
You could say that too.

A：你意思是不想跟它扯上任何關係。
B：好吧！
也可以這麼說啦！

A: You mean to say that you don't want anything to do with it.
B: Well,
you could say that too.

499 到時候就知道了。
I'll know when the time comes.

A：你什麼時候要問他？ A: When will you ask him?
B：**到時候就知道了。** B: **I'll know when the time comes.**

500 好戲還在後頭呢！
You ain't seen nothin' yet!

A：哇！ A: Wow!
好棒的表演！ What a show!
B：**好戲還在後頭呢！** B: **You ain't seen nothin' yet!**
等著看結尾吧！ Just wait for the finale.

注：這句話也可用來表示"更壞的在後頭呢！"。

501 忘恩負義的傢伙！
Ingrate!

A：你怎麼可以這麼無情！ A: How could you be so ungrateful!
忘恩負義的傢伙！ **Ingrate!**

注：這個字本身就較爲粗鄙，通常是對某人已經厭惡到極點時才會用。

502 你太得寸進尺了。
I give you an inch, and you take a yard.

A：不要再佔我便宜了。 A: Stop taking advantage of me.
你太得寸進尺了！ **I give you an inch, and you take a yard.**

注：表示不知分寸，愛佔便宜。也可說："I gave him an inch, and he wanted to take a mile."。

503 好戲就要開鑼囉！
Good things have just begun !

A：這才剛開始而已。 A: This is only the beginning.
好戲就要開鑼囉！ **Good things have just begun.**

注：這句話可以表示說的人很期待某件事的發生，或者是抱著瞧不起的心態來看待即將發生的事。

504 我也無話可說了。
I'm speechless.

A：你對這整件事有什麼看法？ A: What do you think about all of this?
B：**我也無話可說了。** B: **I'm speechless.**

注：這句話表示不知該如何反應了。

505 這真是人間美味。
This food is out of this world.

A：**這真是人間美味。** A: **This food is out of this world.**
這是我吃過最棒的牛肉。 I've never had better beef.

注：這句話不只形容食物好吃，也可形容人或東西好的不得了。例如"The car is out of this world."（這車實在是炫斃了。）

506 幹嘛神祕兮兮的…
Why so mysterious ?

A：**幹嘛神祕兮兮的？**
你有事情瞞著我嗎？

A: **Why so mysterious ?**
Are you hiding something from me ?

注：這句話表示對某事感到奇怪、困惑，而想一探究竟。

507 別再婆婆媽媽了！
Stop being so indecisive !

A：快點！
別再婆婆媽媽了，
做個決定吧！

A: Hurry up !
Stop being so indecisive
and make a decision !

508 身在福中不知福
Take it for granted.

A：你應該珍惜有一對
愛你的爸媽。
別**身在福中不知福**！

A: You should appreciate the fact that
you have parents who love you.
Don't **take it for granted.**

注："take it for granted" 是把某事當做理所當然，不因擁有而感激。

509 嗨！我們又見面了！
Hey, we meet again !

A：**嗨！我們又見面了。**
B：你在這裡幹嘛？

A: **Hey, we meet again.**
B: What are you doing here ?

510 有本事你做給我看！
Let's see you do it !

A：你這樣做不對。 A: You're not doing it right.
B：**有本事你做給我看！** B: **Let's scc you do it** thcn !

注：語氣多半是不高興的，故會在you加重語氣。

511 你沒別的事好做嗎？
Don't you have anything better to do ?

A：不要煩我。 A: Stop bothering me !
你沒別的事好做嗎？ **Don't you have anything better to do ?**

注：本句有要對方離自己遠一點的意思。

512 你先走，我隨後就到。
You go first. I'll catch up later.

A：快點！我們要遲到啦。 A: Come on, we're going to be late.
B：**你先走，我隨後就到。** B: **You go first. I'll catch up later.**

513 你想到哪裡去了啊？
What are you thinking ?

A：你不是當真的吧！ A: You can't be serious !
你想到哪裡去了啊？ **What are you thinking ?**
你瘋了！ You're crazy !

注：說這句話帶有生氣的語調，可在what、thinking上面加重語氣。

514 我的意思不是那樣！
That's not what I'm saying.

A：你是說我很笨囉？ A: Do you mean that I'm stupid ?
B：不，**我的意思不是那樣！** B: No, **that's not what I'm saying.**

注：這句話也可說成"That's not what I mean."

515 你這話是什麼意思？
What do you mean by that ?

A：我想你現在該回家了。 A: I think you should go home now.
B：**你這話是什麼意思？** B: **What do you mean by that ?**
你要趕我走啊？ You want me to leave ?

注：這句話表示對方說的話有言外之意，因而對此感到不悅。

516 這種事誰也說不準。
You can never tell about this sort of thing.

A：那你怎麼想？ A: So what do you think ?
B：**這種事誰也說不準。** B: **You can never tell about this sort of thing.**

注：本句也可簡單說："You can't tell."。

517 讓我一個人靜一靜。
Leave me be.

A：你看起來好傷心，想要聊一聊嗎？ A: You look sad. Wanna talk ?
B：**讓我一個人靜一靜。** B: **Leave me be.**

注：本句跟"Leave me alone."，"I want to be alone."意思一樣。而看到這種情形，通常會問"Wanna talk ?"就是"Do you want to talk ?"的口語用法。

518 睜一隻眼，閉一隻眼。
I'll pretend I didn't see that.

A：請不要跟我爸說我又遲到了。 A: Please don't tell my dad that I'm late again.
B：我會**睜一隻眼，閉一隻眼**。 B: **I'll pretend I didn't see that.**

注：表示裝作不知道這件事。

519 放一百二十個心吧！
Relax. You can count on me.

A：你可以自己搞定這件事嗎？　A: Can you do it on your own ?

B：**放一百二十個心吧！**　B: **Relax. You can count on me.**

注：這句話表示會極力幫忙，請對方放心。

520 區區小事，何足掛齒。
It's nothing. Don't mention it.

A：真是謝謝你了。我很感激。　A: Thanks a million. I really appreciate it.

B：**區區小事，何足掛齒。**　B: **It's nothing. Don't mention it.**

注：本句另一個說法是"You're welcome !"。

521 你出這什麼餿主意！
That's a bad idea if I've ever heard one !

A：我們為什麼不撒個謊就好了？　A: Why don't we just lie ?

B：**你出這什麼餿主意！**　B: **That's a bad idea if I've ever heard one !**

522 你給我看清楚一點！
Take a closer look.

A：這東西真棒！
毫無瑕疵！
B：唉！才不呢！
你給我看清楚一點。

A: This is great!
It's flawless!
B: No, it isn't.
Take a closer look.

注：這句話有時在責備對方不夠用心，有時也只是要對方再看仔細一點。

523 我不是告訴過你嗎？
Didn't I tell you before?

A：那家餐廳在哪啊？
B：**我不是告訴過你嗎？**

A: Where is the restaurant ?
B: **Didn't I tell you before ?**

注：在before加重語氣，表示不耐煩。

524 我什麼時候說過了？
When did I say that ?

A：但你說過要帶我出去呀。
B：**我什麼時候說過了？**
喝醉的時候嗎？

A: But you said that you would take me out.
B: **When did I say that ?**
When I was drunk ?

注：這句話是說者在為自己辯解，否認有這回事。

525 幹嘛發火，誰惹你啦？
Why so pissed off ?
Someone got in your way ?

A：**幹嘛發火，**

A: **Why so pissed off ?**

誰惹你啦？ **Someone got in your way ?**

B：是啊！ B: Yeah,

那傢伙敲我竹槓。 that guy ripped me off.

注：piss本意是小便，語氣較粗魯，所以多在私底下使用。"Piss off."是叫某人滾開；"Something pissed me off."，是某事令自己憤怒或厭煩。

526 你從哪冒出來的啊！
Where'd you come from?

A：**你從哪冒出來的啊？** A: **Where'd you come from?**

你不應該在這裡的。 You're not supposed to be here.

注：本句有質問人的意思，可在you加重語氣。where'd = where did。

527 家家有本難唸的經。
Every family has problems.

A：我討厭我的家人，他們一點也不關心我的感受。 A: I hate my family. They don't care about my feelings at all.

B：**家家有本難唸的經。** B: **Every family has problems.**

注：本句多用在安慰那些抱怨自己家庭的人。

528 天下無不散的筵席。
All things must come to an end.

A：我不想說再見。 A: I don't want to say goodbye.

B：**天下無不散的筵席。** B: **All things must come to an end.**

注：本句通常是指好的方面，所以也常說成 “All good things come to an end.”。

529 我會自己想辦法的。
I can handle it myself.

A：你需要幫忙嗎？ A: Do you need help ?
B：**我會自己想辦法的。** B: **I can handle it myself.**

注：本句也可用 “I can take care of it myself.”。

530 不用你說我也知道。
That goes without saying.

A：我要辭職。我再也受不了這份工作了。 A: I wanna quit. I can't take this job anymore.
B：**不用你說我也知道。** B: **That goes without saying.**

531 你穿這樣不夠保暖。
You're not wearing enough. It's cold out there.

A：我走了，晚上見。 A: Bye. See you later tonight.
B：等一下，**你穿這樣不夠保暖。** B: Wait. **You're not wearing enough. It's cold out there !**

注：本句也可以說 “Put on some more clothes. It's freezing outside.”。

532 此一時也，彼一時也。
Times have changed.

A：沒想到他成了我們的經理。 A: I'd never think that he'd be our manager !

B：**此一時也，彼一時也。** B: **Times have changed.**

注：這是很常用的句子，也可說 "Times are changing."

533 只准早到，不許遲到。
You have to be on time. Don't be late.

A：這件事很重要。 A: This is very important.
只准早到，不許遲到。 **You have to be on time. Don't be late.**

注：這句有警告的語氣。

534 那有什麼好奇怪的？
What's so weird about that ?

A：你打紅領帶好奇怪。 A: You look strange in that red tie.

B：我們公司的人都這樣穿，B: Everyone in my company dresses like that.
那有什麼好奇怪的。 **What's so weird about that ?**

注：可以在 weird 、 that 上加強語氣。語調通常是輕鬆的；若是要駁斥別人，語氣就會比較嚴肅認真。

535 我可不是說著玩的。
I'm not joking.

A：那滿有趣的。　A: That's really interesting.
B：**我可不是說著玩的。**　B: **I'm not joking.**

536 有種你給我試試看。
I dare you to try.

A：我要讓你知道誰是老大。　A: I'll show you who's boss.
B：**有種你給我試試看。**　B: **I dare you to try.**

537 這有什麼大不了的？
What's the big deal ?

A：**這有什麼大不了的！**　A: **What's the big deal ?**
為什麼大家都擠在這裡？　Why is everyone crowded around here ?
這沒啥特別啊。　It's nothing special.

538 怎麼可能有這種事？
How could that be ?

A：他一年前去世。　A: He died a year ago.
B：**怎麼可能有這種事？**　B: **How could that be ?**
我以為昨天才看到他。　I thought I saw him yesterday.

539 什麼風把你吹來啦？
What brings you here?

A：**什麼風把你吹來啦？** A: **What brings you here?**
B：我太太很喜歡這家店。 B: My wife likes this store.
我要買一件禮物給她。 I need to get her a gift.

注：這句話在 you 加強語氣，語帶幽默地表示"沒有想到你會來。"。

540 你認為這個很有趣？
You think this is funny ?

A：**你認為這個很有趣？** A: **You think this is funny ?**
這不是個笑話， It's not a joke.
這可是個嚴肅的問題。 This is a serious matter.

541 一手交錢，一手交貨。
You give me the money. I'll get you the goods.

A：你能幫我弄些毒品嗎？ A: Can you get me some drugs ?
B：當然啦， B: Sure,
一手交錢，一手交貨。 **You give me the money. I'll get you the goods.**

注：本句常是做生意時賣方所講的話。

542 如果我沒搞錯的話…
If I'm not mistaken…

A：**如果我沒搞錯的話，**
應該走這邊。

A: **If I'm not mistaken,**
I think it's this way.

注：本句常擺在一段敘述之前或之後。

543 有些人就是學不乖。
Some people never learn.

A：約翰想再約瑪麗出來。
難道他不知道她不喜
歡他嗎？
B：**有些人就是學不乖。**

A: John wants to ask Mary out again.
Doesn't he know that he isn't her
type ?
B: **Some people never learn.**

注：本句話可以用來抱怨某人總是學不到教訓，或對這樣的情形表達失望之意，或純粹只是用來開玩笑而已。

544 誰說讓你做主了啊？
Who put you in charge ?

A：從現在開始，
我是這兒的頭。
B：**誰說讓你做主了啊？**

A: From now on,
I'm the boss here.
B: **Who put you in charge ?**

注：講這句話時，通常在挑戰對方的權威，因此會在you上加重語氣。

545 朋友是做什麼用的！
What are friends for ?

A：我必須謝謝你為我所做的一切。 A: I have to thank you for all you've done.

B：**朋友是做什麼用的！** B: **What are friends for ?**

注：另一個常見說法是 "That's what friends are for."。

546 謝謝你臨時來幫忙。
Thanks for coming to help on such a short notice.

A：**謝謝你臨時來幫忙。** A: **Thanks for coming to help on such a short notice.**

B：不客氣。 B: You're welcome.

547 這主意不是我出的！
It's not my idea !

A：為什麼你這樣子做報告呢？ A: Why did you do the reports this way ?

B：**這主意不是我出的。**是傑利要我們這樣做的。 B: **It's not my idea.** Jerry told us to.

注：這句話常用來撇清責任，在not、my加強語氣。

548 我忘了要說什麼了。
I forgot what I was gonna say.

A：我們說到哪裡去啦？
是不是在聊愛莉莎？
B：**我忘了要說什麼了。**

A: Where were we ?
Talking about Eliza ?
B: **I forgot what I was gonna say !**

注：本句也可簡單的說“What was I saying ?”。

549 最糟的還不只這樣…
The worst is yet to come.

A：天！這是我聽過最糟的消息了。
B：話別說得太早。
最糟的還不只這樣。

A: Oh, this is the most horrible news I've ever heard.
B: Don't be so sure.
The worst is yet to come.

550 坐而言，不如起而行。
Actions speak louder than words.

A：有一天我一定會成為偉人的，
等著瞧吧！
B：**坐而言，不如起而行。**

A: I'll be a great man someday.
Just wait and see.
B: **Actions speak louder than words.**

注：本句是諺語，就是不要光說不練。

551 看什麼看？沒看過啊！

What are you looking at ?
Never seen this before ?

A：**看什麼看？**
沒看過啊！

B：對不起，
我不是故意要盯著
你看的。

A: **What are you looking at ?**
Never seen this before ?

B: Sorry,
I didn't mean to stare at you.

注：通常是感覺被冒犯了才會說這句話，所以這句話會有生氣的味道在。

9 字篇

552 我不曉得在哪見過他。
I don't know where I've seen him before.

A：他看起來很面熟。
我不曉得在哪見過他。

A: He looks so familiar.
I don't know where I've seen him before.

注：可直接說“He looks familiar.”或“Deja-vu”（法語，似曾相識）。

553 我根本不是他的對手。
I'm no match for him.

A：你倆該比一場網球。
B：**我根本不是他的對手。**

A: You two should play tennis together.
B: **I'm no match for him.**

554 你一定可以撐下去的。
You can do it.

A：這實在太可怕了，我不知道能不能再忍下去。　A: This is hell. I don't know if I can take it any longer.
B：**你一定可以撐下去的。**　B: **You can do it !**

注：這句話是用來鼓勵人家"你行的"、"你可以的"，會在you和do加重語氣。

555 我一個人哪做得完啊！
I can't do it by myself.

A：你可以幫我嗎？　A: Will you help me out ?
我一個人哪做得完啊！　**I can't do it by myself.**

注：本句暗示"I need your help."。

556 我這樣還不是為你好！
I'm doing it for you !

A：你怎麼在洗衣服？　A: Why are you doing the laundry ?
B：**我這樣還不是為你好！**　B: **I'm doing it for you.**
我知道你這星期很忙，　I know you've been so busy this week.
我想幫忙。　I thought I'd help.

注：若以誠懇的口氣說這句話，表示眞的爲對方著想；有時會夾有對對方不耐的語氣。

557 天底下哪有這種好事？
That's too good to be true.

A：老闆要給我們加薪和　A: The boss is going to give us a raise

一個月的假！ and a month's vacation！

B：**天底下哪有這種好事。** B: **That's too good to be true.**

注：本句也常說"It's too good to be true."。

558 這樣算什麼英雄好漢？ What kind of hero is that？

A：為什麼每個人都推崇他？ A: Why is everyone honoring him？

他是個騙子！ He's a crook!

這樣算什麼英雄好漢？ **What kind of hero is that？**

注：常用於私底下對他人的批評。更挖苦的說法則是"Some hero, huh？"，表示非常的不以爲然。

559 你以為我喜歡這樣啊？ You think I like it like this？

A：**你以為我喜歡這樣啊？** A: **You think I like it like this？**

這根本是活受罪！ It's torture！

注：說這句話時，代表說者可能受到委屈、被人誤會或不甘願做某事，心中有所不滿，所以要用抱怨的語氣來表達。另外，若是以開玩笑的口吻來表達，這句話可以代表完全相反的意思，也就是"我其實很喜歡這樣！"。

560 這可不是天天都有的。 It doesn't happen every day.

A：哇，好美的故事。 A: Wow, what a beautiful story.

B：**這可不是天天都有的。** B: **It doesn't happen every day.**

561 除了吃，你還會做什麼？
What do you do besides eating ?

A：**除了吃，你還會做什麼？** A: **What do you do besides eating ?**
你太胖了！ You're so fat !
B：閉嘴， B: Shut up.
你太刻薄了吧。 You're so mean!

注：這句話在中英文都是很鄙視人的話，十分刻薄。

562 大家都好了，就等你啦！
Everyone's ready and waiting for you.

A：快一點。 A: Hurry up.
大家都好了，就等你啦！ **Everyone's ready and waiting for you.**

注：這在催促別人動作快點。

563 我不想給人家添麻煩。
I don't want to cause any trouble.

A：對不起， A: I'm sorry.
我現在就走。 I'll leave now.
我不想給人家添麻煩。 **I don't want to cause any trouble.**

注：在any加重語氣，表示眞的不想造成任何麻煩。

564 天下沒有白吃的午餐。
There's no such thing as a free lunch.

A：他們說他們不收錢。 A: They say they'll do it for free.
B：**天下沒有白吃的午餐。** B: **There's no such thing as a free lunch.**

注：本句也可以說"Nothing's for free"。

565 這個我恐怕幫不上忙。
I probably can't help you with this.

A：對不起，**這個我恐怕幫不上忙。**我以前從未見過這種模型。 A: Sorry, **I probably can't help you with this.** I've never seen this model before.

注：這句話很禮貌而明白地表示了無法協助。

566 早就知道了，還用你說！
I know. Save your breath!

A：你不了解，她才不是那樣子的人。 A: You don't understand. She isn't like that.
B：**早就知道了，還用你說。** B: **I know. Save your breath.**

注：本句可以只說"I know !"。

567 沒想到會在這碰到你。
I didn't think I'd see you here.

A：真是出乎我意料之外！ A: What a surprise !
沒想到會在這碰到你。 **I didn't think I'd see you here.**

注：根據語氣的不同，可以看出當事者反應是意外或驚喜的。

568 把那句話給我收回去！
Take it back !

A：你這樣說很過分！ A: It's mean to say that !
把那句話給我收回去！ **Take it back !!**
B：對不起，我不是故意要這樣說的。 B: Sorry, I didn't say it on purpose.

注：這句話表示當事者很生氣，並且要對方道歉。

569 我等你等得不耐煩了！
I couldn't wait any longer for you !

A：你在那裡？ A: Where were you ?
B：**我等你等得不耐煩了，** B: **I couldn't wait any longer for you.**
我已經離開了。 I had to go.

注：本句有生氣、不耐煩的意味在。

570 就當我什麼也沒說過。
Just pretend I didn't say anything.

A：你不是真的要作弊吧？ A: You're not really going to cheat, are you ?

B：**就當我什麼也沒說過。** B: **Just pretend I didn't say anything.**

注：本句是希望對方不要在意自己剛說的話。

571 你也未免想太多了吧！
You're thinking too much.

A：我不知道穿哪件衣服比較好看？藍色的還是淡藍色的？ A: I don't know which clothes I look good in. Blue or light blue ?

B：親愛的，**妳也未免想太多了吧！**妳穿什麼都好看。 B: Honey, **you're thinking too much.** Whatever you wear, you look fabulous.

注：本句常用來勸人不要太過操心。

572 你幹嘛老是找我麻煩？
Why do you always bother me ?

A：我需要幫忙。 A: I need a favor.

B：**你幹嘛老是找我麻煩？**你沒其他朋友嗎？ B: **Why do you always bother me ?** Don't you have any other friends ?

注：等於口語常說的"Why are you always on my back ?"。

573 你鬼叫個什麼勁兒啊！
Why are you yelling ?

A：太荒謬了！ A: This is ridiculous !
我不信！ I can't believe it !
B：**你鬼叫個什麼勁兒啊！** B: **Why are you yelling ?**

注：等於要人別大聲嚷嚷。

574 他有什麼地方比我好？
What does he have that I don't ?

A：前幾天晚上我看到妳跟彼得在一起， A: I saw you with Peter the other night.
他有什麼地方比我好？ **What does he have that I don't ?**

575 你就這麼愛耍我是吧？
You like to play with me, don't you ?

A：來抓我啊，小花！。 A: Come and get me, Spot !
B：**你就這麼愛耍我是吧？** B: **You like to play with me, don't you ?**
我可是個人耶！ I'm not a dog !

注：這是開玩笑時常用的俚語，若要嚴肅點，可以說 "Don't play me … or else."（別耍我，否則…）。

10 字篇

576 這些東西怎麼會在這裡？
What are these things doing here ?

A：**這些東西怎麼會在這裡。** A: **What are these things doing here ?**

B：我不知道。 B: I don't know.

我到的時候它們就已經在這裡了。 They were here when I got here.

注：本句也可說成“What are these doing here?”

577 他根本不把我放在眼裡。
He looks down on me.

A：你為什麼不去找鮑勃幫忙？ A: Why don't you go to Bob ?

B：**他根本不把我放在眼裡。** B: **He looks down on me.**

他不會幫的。 He won't help.

注：本句跟“He doesn't take me seriously.”一樣。

578 這種事是不能開玩笑的！
This isn't a laughing matter.

A：你夠了沒有？ **這種事是不能開玩笑的！**

A: Will you stop it ? **This isn't a laughing matter.**

注：本句的語氣十分嚴肅，用來制止太過分的玩笑。

579 不值得為這點小事生氣。
Don't get mad. It's not worth it.

A：**不值得為這點小事生氣。**

B：我知道。但這太不公平了。

A: **Don't get mad. It's not worth it.**

B: I know. But it's so unfair !

注：本句常用來安撫生氣的人。

580 這再便宜你就買不到了。
You can't get it any cheaper than this.

A：你該把它買下來，**這再便宜你就買不到了。**

A: You should take it. **You can't get it any cheaper than this.**

注：這是店員常用的句子。

581 沒看過這麼討人厭的人。
I've never seen someone so despicable.

A：我好討厭他，
沒看過這麼討人厭的人。

A: I hate him so much.
I've never seen someone so despicable before.

注：說這句話代表說者已經十分生氣了。

582 我們才剛好聊到你而已…
Speak of the devil.

A：看誰來了！
我們才剛好聊到你而已。

A: Look who's here !
Speak of the devil.

注：devil在這裡可不是惡魔的意思，只是用來代指所談論的人。

583 真不知道你是怎麼想的。
I don't know what you're thinking !

A：**真不知道你是怎麼想的！**
你瘋了！

A: **I don't know what you're thinking !**
You're crazy !

注：這句話代表說者對聽者已經失望透頂了。

584 你自己也沒好到哪裡去。
You're not so great yourself.

A：你有很大的進步空間。
B：**你自己也沒好到哪裡去。**

A: You have a lot of room to improve.
B: **You're not so great yourself.**

注：本句常用來反駁對方不友善的言詞。

585 你現在有和誰在交往嗎？
Are you seeing anyone ?

A：美眉，**你現在有和誰在交往嗎？**

B：不要管我，變態！

A: **Are you seeing anyone,** beautiful ?

B: Leave me alone, pervert.

注：這句話除了用來搭訕，親友之間也可以此互相問候。

586 兇什麼兇？我又沒得罪你。
Why are you so mean ? I've never done anything to you.

A：你真該死！

B：**兇什麼兇？我又沒得罪你。**

A: You can go to hell !

B: **Why are you so mean ? I've never done anything to you.**

注：這句話隱含想與對方和好的意思。

587 只要你說得出來，他們都有。
You name it. They've got it.

A：我們在那裡能找到網球拍嗎？　A: Will we be able to find tennis racquets there ?

B：**只要你說得出來，他們都有。**　B: **You name it. They've got it.**

注：本句一般在指商店的物品種類齊全。

588 我又不咬人，幹嘛那麼怕我？
Why are you so scared ? I don't bite.

A：**我又不咬人，幹嘛那麼怕我。**　A: **Why are you so scared ? I don't bite.**

B：因為你看起來像壞人。　B: Because you look like a bad guy.

注：這句話的對象通常是怕生的小孩，或是不知爲何不敢靠近你的人，用意是在跟對方拉近距離。

589 我五分鐘內就可以準備好了。
I'll be ready within five minutes.

A：快點！	A: Hurry up !
B：**我五分鐘內就可以準備好了。**	B: **I'll be ready within five minutes.**

590 跟我猜的一樣。（跟我想的一樣。）
That's what I guessed. (That's what I thought.)

A：這件事最後結果還不錯。	A: It turned out to be all right.
B：**跟我猜的一樣。（跟我想的一樣。）**	B: **That's what I guessed. (That's what I thought.)**

591 你硬是要這麼做，我也沒辦法。
If you insist.

A：別幫我，
這次我要一個人搞定。

A: Don't help me.
This time, I'll do it myself.

B：**你硬是要這麼做，我也沒辦法。**

B: **If you insist.**

592 我沒那麼笨！又不是三歲小孩。
You think I was born yesterday？

A：拜託，你為什麼不這樣做？

A: Hey, why don't you do it this way？

B：**我沒那麼笨！又不是三歲小孩。**
我知道我在做什麼。

B: **You think I was born yesterday？**
I know what I'm doing！

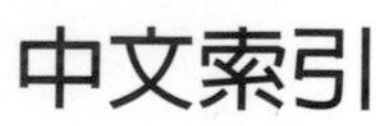

1劃

2劃

3劃

4劃

5劃

6劃

7劃

8劃

9劃

10劃

11劃

12劃

13劃

14劃

15劃

16劃

17劃

18劃

19劃

21劃

22劃

23劃

25劃

英文索引

A

B

C

D

E

F

G

H

I

J

K

L

M

N

O

P

R

S

T

U

W

Y

國家圖書館出版品預行編目資料

Wow！原來這句英語這樣說！：最常用的中文600句 最道地的美式用法 / Carolyn-G.Choong 著. --二版. --臺北市：笛藤，2004 [民93]
面；　　公分
中英對照
含索引
ISBN 957-710-415-0（平裝附光碟片）

1. 英國語言－會話

805.188　　91008184

作者簡介

Carolyn G. Choong

1978年生，2000年畢業於美國Wesleyan University, CT.(Connecticut)，曾在紐約從事ESL (English as a Second Language) 的教學工作，對於華人學習英語的需要有相當的了解。2004年畢業於美國 Columbia University東亞研究所碩士班。著作有：〈初中必備英成語〉、〈不可思意英成語1～3〉、〈招呼美語〉、〈美語耳〉。

Wow！原來這句英語這樣說！（附MP3）定價280元

2006年9月30日2版第5刷
作　　者：Carolyn G. Choong
發 行 所：笛藤出版圖書有限公司
發 行 人：鍾東明
編　　輯：王振仰
地　　址：台北市民生東路2段147巷5弄13號
電　　話：(02) 2503-7628. 2505-7457
傳　　眞：(02) 2502-2090
郵撥帳戶：笛藤出版圖書有限公司
郵撥帳號：0576089-8
總 經 銷：農學股份有限公司
地　　址：新店市寶橋路 235巷6弄6號2樓
電　　話：(02) 2917-8022. 2917-8042
製 版 廠：造極彩色印刷製版股份有限公司
地　　址：台北縣中和市中山路2段340巷36號
電　　話：(02) 2240-0333

ISBN 957-710-415-0